HISTOIRE DE LA BOURGOGNE

Jean-François Bazin

Délimitée de nos jours par l'Yonne et la Seine, la Saône,
la Loire, la Bourgogne trouve tout naturellement sa place sur la carte.
En réalité, c'est un sujet qui ne tient pas dans son cadre.
L'histoire de la Bourgogne s'affranchit volontiers des limites de la géographie,
pour gagner la France et l'Europe. Rares sont les régions européennes
à avoir suscité un tel élan, constant et renouvelé : l'Idée bourguignonne.
Cette terre d'échange conserve le plus beau cratère grec de l'Antiquité,
enfoui ici il y a vingt-cinq siècles. Où donc la première page de l'histoire
de France est-elle écrite ? À Alésia. Cluny, Cîteaux, des cierges allumés partout
dans la chrétienté. Les Grands Ducs d'Occident et le siècle flamboyant
de la Toison d'or… Jusqu'au temps présent, la Bourgogne illustre l'une des aventures
humaines les plus passionnées, les plus épanouies.
Son histoire épouse celle de la France,
celle de l'Europe, en les éclairant d'un jour original.
Histoire politique, mais aussi culturelle et de civilisation.

Editions Ouest-France

Les premières traces d'une présence humaine apparaissent en Bourgogne au Paléolithique qui dure ici un million d'années (de - 900 000 à - 9 000 ans avant J.-C.). Périodes chaudes et périodes froides alternent sur des centaines de milliers d'années. Le mammouth, l'éléphant des steppes peuplent les glaciations, tandis que le rhinocéros de Merck, le lion des cavernes, ou l'hippopotame vivent ici durant les interglaciaires.

Chasseurs de rhinocéros et d'éléphants

À Soucy, près de Sens, on a découvert dans une gravière (vallée de l'Yonne) les restes du campement d'hommes ayant fait une courte halte au bord d'une rivière, il y a 300 000 ans. Ils ont découpé des carcasses de chevaux, d'ours, d'aurochs et même de rhinocéros et d'éléphants.

Grottes d'Arcy-sur-Cure (affiche de 1925).
Photo CRT Bourgogne.

Sans doute venu en Europe dès le Quaternaire inférieur, l'homme est alors un Pithécanthrope. Il donne naissance à deux grandes cultures, l'Abbevillien puis l'Acheuléen, identifiés grâce à la taille de leurs outils en pierre. Cette dernière civilisation est présente en Bourgogne dans les grottes (Azé), sur des terrasses de vallées (Loire et Yonne), ou dans les alluvions de rivières (Saône). Au Paléolithique moyen (de - 90 000 à - 35 000 ans avant J.-C.), encore deux périodes chaudes et deux périodes froides. Le renne, le mammouth, le bison, le cheval, le rhinocéros laineux nourrissent l'homme de Neandertal. Celui-ci enterre ses morts. Il vit dans les grottes d'Arcy-sur-Cure, Vergisson, Créancey en Auxois. Il exprime une civilisation, dite moustérienne, beaucoup plus évoluée et qui travaille remarquablement la pierre, le silex. Le pays est occupé de façon plus diffuse (Nivernais, Sénonais, Mâconnais, etc.), sauf dans le Morvan et en Bresse où les traces humaines restent inexistantes.

Au Paléolithique inférieur (de - 35 000 à - 9 000 ans avant J.-C.), deux dernières périodes froides marquent la fin des temps glaciaires. La Bourgogne redevient alors une toundra parcourue par le renne, le bison, le bœuf musqué, le mammouth. Lorsque le climat se réchauffe, le

La Roche de Solutré. Photo Hervé Champollion.

écoré

Fer

© M

Le Solutréen

La culture de Solutré est marquée par d
« feuilles de laurier » remarquableme
(ceux trouvés à Volgu en Saône-et-Loir
plus beaux). Un art si riche et si origin
donné naissance à un âge de la préhi
Solutréen.

On a découvert au pied de la roche d
sur 4 ha, un charnier où sont agglutiné
casses de dizaines de milliers de cheva
croit plus à l'image romantique des anin
sés par les hommes du haut de la falaise
sant en bas. En réalité, les hommes on
pendant des millénaires d'immenses tro
chevaux e   nts entre le Clunisois et la

bœuf primitif apparaît. L'homme de Cro-Magnon illustre maintenant un type humain proche du nôtre. Il vit sous des tentes, dans des cavernes (Arcy-sur-Cure) ou en plein air (Marsangy). Son habileté technique progresse rapidement. Il chasse avec une sagaie lancée par un propulseur. L'animal fournit tout, jusqu'aux vêtements et aux colliers. La seule grotte ornée que nous possédons est celle du Cheval à Arcy-sur-Cure. Des sculptures de mammouths et de cervidés ont été trouvées à Solutré. Ces différentes cultures sont bien représentées en Bourgogne : Châtelperronien (vallée de la Cure), Aurignacien, Solutréen surtout.

Le trésor de Blanot (Côte-d'Or) découvert par hasard dans les racines d'un arbre abattu par la foudre : la parure d'un homme (ou d'une femme) il y a près de 3 000 ans...
Musée archéologique de Dijon. Photo Jean-Pierre Coquéau.

Les agriculteurs

Le paysage actuel apparaît au Mésolithique (de - 8 000 à - 4 000 ans avant J.-C.). Comme le climat devient continental et tempéré, résineux et feuillus s'étendent. Les forêts sont occupées par le cerf et le sanglier. Le ramassage des escargots et la cueillette des noisettes complètent l'alimentation. Une agriculture se développe à partir de 4 000 ans avant J.-C. Le blé et l'orge, le mouton, le porc et le bœuf entourent de vrais villages avec de grandes maisons de bois (pénétration des Danubiens venus par le Nord).

Vers 3 600 avant J.-C., au début du Néolithique, un peuplement nouveau arrive en Bourgogne du Sud par la vallée du Rhône. Ces hommes à l'industrie céramique très perfectionnée et d'une culture avancée s'établissent notamment au camp de Chassey, près de Santenay. On les appellera les Chasséens. Nouvelle culture à partir de 2 900 ans avant J.-C., marquées par des influences nord-orientales. Puis, à la fin du Néolithique (de - 2 500 à - 1 800 ans), la Bourgogne devient le point de contact de plusieurs civilisations. La civilisation des mégalithes s'étend sur les plateaux de Bourgogne, avec des sépultures en dolmens ou en coffres sous tumulus (Hautes-Côtes de Nuits).

Musée archéologique de Dijon. Photo Jean-Pierre Coquéau.

4

À la fin du Néolithique (vers 1 800 avant J.-C.) apparaissent les premiers objets en cuivre. Les échanges sont de plus en plus importants avec des contrés lointaines.

Le bracelet d'or de La Rochepot.
Musée archéologique de Dijon.
Photo Jean-Pierre Coquéau.

Le carrefour bourguignon

L'Âge du Bronze (de - 1 800 à - 750 ans avant J.-C.) permet enfin au carrefour bourguignon de jouer pleinement son rôle sur le continent européen. Les échanges créent la richesse (bracelet d'or de La Rochepot en Côte-d'Or). Les zones d'attraction restent les mêmes : une civilisation de la Saône et du Rhône, une autre se rattachant au Bassin parisien. Cependant qu'une grande production céramique et métallique se développe, une société humaine déjà structurée se met en place, notamment dans l'Auxerrois, et une autre dans la vallée de la Saône. L'une et l'autre ont des liens très actifs avec l'Est. D'Europe centrale viennent vers 700 avant J.-C. les peuples des champs d'urnes. Ils pratiquent l'incinération des morts. Leur outillage, leur armement, leurs parures (découvertes de Villethierry dans l'Yonne) sont riches et variés.

L'Archéodrome de Bourgogne

Mille siècles de vie en Bourgogne avec de passionnantes reconstitutions (les huttes des premiers villages, la découverte du vase de Vix, les fortifications d'Alésia, une ferme gauloise, etc.) et une évocation particulièrement soignée : sur l'aire de l'autoroute A6 à Beaune (accès également par le réseau routier local). A visiter aussi : le musée de Solutré.

Reconstitution des fortifications de la bataille d'Alésia à l'Archéodrome de Bourgogne (autoroute Paris-Lyon, aire de Beaune-Merceuil). D.R.

La nécropole du Rebout
à l'emplacement du musée.
© Bibracte. Photo Antoine Mailler.

Tête d'homme en pierre découverte
à la Pâture du Couvent.
© Bibracte. Photo Antoine Mailler.

Vue du mont Beuvray.
© Bibracte.
Photo Antoine Mailler.

Restitution d'un atelier de bronzier à la porte du Rebout.
© *Bibracte.* Photo Antoine Mailler.

La fontaine Saint-Pierre.
© *Bibracte.*
Photo Antoine Mailler.

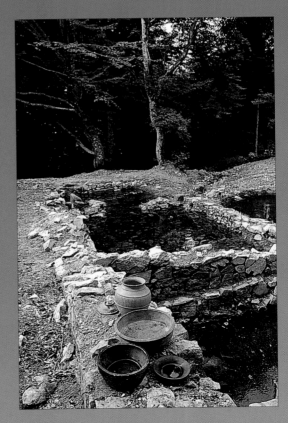

L'Âge du Fer s'étend de 750 avant J.-C. jusqu'à la conquête romaine (52 avant J.-C.). Alors que le climat devient plus froid puis prend ses traits actuels, le premier Âge du Fer, ou Hallstatt (du VIIIe au Ve siècle avant J.-C.) voit naître et prospérer ici une importante sidérurgie. La vie s'organise. Une culture nouvelle prend son essor, avec de grandes nécropoles en tumulus (Châtillonnais) atteignant jusqu'à 32 m de diamètre. Il s'agit de guerriers portés en terre avec leur épée et des vases.

Le vase de Vix

On a découvert en 1954 à Vix, dans le Châtillonnais, la tombe d'une femme d'une trentaine d'années déposée sur un char funéraire, ornée et entourée d'objets précieux. Ce cratère de bronze décoré de Gorgones et de guerriers est aujourd'hui le plus grand vase grec de l'Antiquité demeuré jusqu'à nous. Haut de 1,65 m, pesant 180 kg, il pouvait contenir 1 200 l de vin mêlé d'eau. Il provenait sans doute d'Italie du Sud. Le diadème d'or de 480 g, admirablement ciselé ? Peut-être des confins de l'Europe et de l'Asie…

Pourquoi Vix ? Au VIe siècle avant J.-C., le mont Lassois et son oppidum se situent sur la route de l'étain entre la Cornouailles et le monde méditerranéen, lieu de rupture de charge et de passage obligé entre les vallées de la Seine et de la Saône. Au centre d'un double courant d'échanges,

Vase de Vix. Musée de Châtillon-sur-Seine. Photo Jean-Pierre Coquéau.

les seigneurs du pays pratiquent sans doute le péage. Mais pourquoi cette jeune femme, princesse ou prêtresse, reçoit-elle ici de tels honneurs funèbres ?

Le vase de Vix ressemble en effet, en tout point, au cratère que reçut le roi Crésus, selon Hérodote et à la même époque… Il témoigne de relations très actives entre la Méditerranée, l'Europe orientale, la Bourgogne et les îles Britanniques.

De Bibracte à Alésia

Ensuite, au second Âge du Fer, ou de la Tène (à partir du Ve siècle avant J.-C.), la région est occupée par plusieurs peuples celtiques, les Sénons (Sens), les Lingons (Langres), les Séquanes, les Éduens dont la capitale Bibracte couronne le mont Beuvray à 800 m d'altitude. Une grande cité de 15 000 à 20 000 habitants sur 135 ha, dont on retrouve la parenté dans des oppida d'Europe centrale. Il s'agit bien d'une même civilisation. Une vie artisanale développée s'ajoute à l'économie agricole.

Détail du Vase de Vix.
Musée de Châtillon-sur-Seine.
Photo Hervé Champollion.

Rêvant de maîtriser la Gaule, les Éduens s'allient aux Romains et menacés par les Helvètes ils les appellent à leur secours en 58 avant J.-C. Mais les vents tournent et en 52 avant J.-C. un soulèvement général des peuples gaulois se produit contre l'envahisseur. Jeune prince arverne, Vercingétorix est porté à la tête des Gaulois coalisés, à Bibracte. Puis c'est Alésia (Alise-Sainte-Reine) où s'enferme Vercingétorix, vaincu par Jules César qui dirige le siège. La première page de l'histoire de France est douloureuse et digne : le chef gaulois rend ses armes et, captif, suivra César pendant plusieurs années jusqu'à son entrée triomphale à Rome. Le soir même son vainqueur le fera égorger. C'est encore à Bibracte où César passe l'hiver suivant que celui-ci dicte ses *Commentaires sur la guerre des Gaules*. La Gaule est morte, la France est née…

La Gaule romaine

Rome n'a guère de peine à établir sa domination sur une terre dont les usages anciens sont respectés et s'adaptent peu à peu à l'influence du colonisateur. Seule la révolte de l'Éduen Sacrovir (21 après J.-C.) fait trembler un moment cette stabilité, mais elle est vite réprimée. Le sanctuaire des sources de la Seine évoque, avec ses nombreux ex-voto de bois ou de pierre offerts à la divinité (Sequana) pour obtenir une guérison, la persistance d'une culture gauloise populaire et longtemps enracinée au fond des forêts.

Pendant ce temps, les Romains créent des voies de communication (Lyon à Trèves notamment), substituent Augustodunum (Autun) à Bibracte en choisissant un nouveau site plus commode d'accès. Autun devient « la sœur et l'émule de Rome ». L'urbanisme s'inspire du modèle romain et la villa ordonne à la campagne l'agriculture nouvelle. Le latin devient la langue culturelle et Autun attire

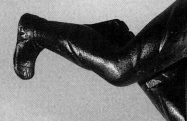

Alise-Sainte-Reine,
Bacchus, gaine de suspension
de caisse de char, bronze,
Ier siècle après J.-C.
Musée Alésia. Société des Sciences
Historiques et Naturelles
de Semur-en-Auxois.
Photo A. Rabeisen

Alise-Sainte-Reine, seau
et sa chaîne, bois et fer,
époque gallo-romaine.
Musée Alésia. Société des Sciences
Historiques et Naturelles
de Semur-en-Auxois.
Photo A. Rabeisen.

Alise-Sainte-Reine,
Gaulois mourant,
applique, bronze, époque
gallo-romaine.
e Alésia. Société des Sciences Historiques
et Naturelles de Semur-en-Auxois.
Photo A. Rabeisen.

Alise-Sainte-Reine, buste de Gallo-Romaine, bronze,
milieu du Ier siècle après J.-C.
Musée Alésia. Société des Sciences Historiques
et Naturelles de Semur-en-Auxois.
Photo A. Rabeisen.

Alise-Sainte-Reine,
outil de tonnelier, fer,
époque gallo-romaine.
Musée Alésia. Société des Sciences
Historiques et Naturelles
de Semur-en-Auxois.
Photo A. Rabeisen.

Les nations gauloises.

Sur la carte : SENONES, TRICASSES, Agedincum, Eburobriga, Autricium, Tornodorum, Latisso, Brivodunum, MANDUBII, Bannobriga, Armançon, BRANOVII, Alesia, LINGONES, Aballo, Simberno, Divio ?, Maternum, AULERCI, Dunum, Pagus Morvinnus, Pagus Arebrignus, BRANNOVICES, Saône, Bibracte, Megavara, SEQUANI, Pagus Nivernus, Pagus Ammonias, Virodunum, HAEDUI, Cabilo, Decetia, Pagus Insubrius, Brancedunum, AMBIBARETI, Borvo, Vindonissa, Lurodunum, Brannodunum, Matisco, AMBARRI, SEGUSIAVI

Limite actuelle de
la Bourgogne

25 km

dans ses écoles toute la jeunesse fortunée de la Gaule. Les dieux viennent de la Méditerranée et de l'Orient (Mithra aux Bolards, près de Nuits-Saint-Georges) et dès le IIe siècle après J.-C. des immigrés grecs ou syriens introduisent ici le christianisme (l'inscription de Pectorios à Autun).

Cette paix romaine ne dure guère. Au IIIe siècle, les guerres civiles et les invasions germaniques sèment le trouble et la terreur. Menacée, chaque ville importante construit un castrum pour se protéger. Au IVe siècle, le christianisme étend son rayonnement. Les premiers saints bourguignons datent de cette époque (Bénigne, Reine, Andoche, Symphorien). Il existe des évêques à Autun, Auxerre, Langres et Sens. Calquée sur les anciennes nations gauloises, cette organisation du Bas-Empire va demeurer jusqu'à la Révolution de 1789 et parfois plus longtemps encore.

À visiter

Le musée de Châtillon-sur-Seine (le Trésor de Vix), le musée archéologique de Dijon (les ex-voto des sources de la Seine), les musées d'Auxerre et d'Autun, les sites et musées (Bibracte et mont Beuvray, Alésia), l'Archéodrome de Bourgogne à Beaune également. Au mont Beuvray, promu Centre européen d'archéologie celtique, le musée de Bibracte.

L'inscription de Pectorios (IIIe-IVe siècle après J.-C.)
conservée à Autun au musée Rolin.
Photo Musée Rolin, Autun.

La porte Saint-André à Autun. Photo Hervé Champollion.

Le théâtre antique d'Autun. L'archéologie aérienne a permis
récemment d'en identifier un second. Photo Hervé Champollion.

La Burgondie
(fin du Vᵉ siècle)
et le royaume mérovingien
(VIIᵉ siècle)

La Burgondie,
ou la Bourgogne au temps
des Burgondes :
le royaume de Gondebaud
(fin du Vᵉ siècle). Plus tard
et au VIIᵉ siècle notamment,
le royaume mérovingien
se réduira au sud
(au-dessus d'Avignon)
et à l'est (perdant sa pointe
dans la Suisse actuelle),
mais il grandira au nord
(jusqu'à Toul)
et au nord-ouest
(jusqu'à Orléans et Paris).

Les Burgondes s'établissent ici à la fin du Vᵉ siècle. Ils descendent de l'île aujourd'hui danoise de Bornholm. Mais leur périple sur le continent dure déjà depuis longtemps. Ils ont vécu sur les bords du Rhin, puis ont été chassés par les Huns vers 437 près de Worms. Installés dans les Alpes et le Jura (Savoie, Suisse), ils se répandent sur tout le bassin de la Saône et du Rhône, qu'ils défendent contre les Alamans. Ils occupent Lyon et Vienne en 470, Dijon en 479.

Le roi Gondebaud

Le royaume des Burgondes apporte beaucoup à la Bourgogne, à commencer par son nom. S'adaptant aisément à la civilisation romaine, utilisant le latin puis peu à peu la langue d'oïl (sauf en Bresse et dans la Bourgogne du Sud où l'on parle le « franco-provençal », la langue d'oc), il s'efforce de créer un nouvel ordre social. Par la loi dite Gombette restée célèbre, le roi Gondebaud souhaite ainsi que le Burgonde et le Romain soient traités sur un pied d'égalité. La mise en valeur des terres agricoles se développe grâce au partage des vastes domaines gallo-romains.

Le territoire de Gondebaud s'étend de Langres à Marseille, et de la Loire aux Alpes. Auxerre est prise, puis perdue, Nevers naît à cette époque prospère et relativement pacifiée. L'anneau des Burgondes, qui illustre l'épopée germanique des *Niebelungen* n'est-il pas, en définitive, la bague d'alliance avec la Bourgogne, la seule survivance du rêve burgonde ? Celui-ci s'éteint en 534 quand les fils de Clovis s'emparent d'Autun puis du royaume tout entier. Le temps des Francs commence.

La Lotharingie

Enfermée tout d'abord dans les limites des cités de Langres, Autun et Chalon, la Burgondie rétrécit. Son territoire varie souvent au fil des guerres et des successions. Rattaché à l'Austrasie puis à la Neustrie, la Bourgogne vit sous l'autorité d'un maire du Palais et supporte mal cette domination. Cette période s'achève en 681. Pépin d'Héristal réunit les différents royaumes francs.

L'insécurité donne l'avantage au castrum protégé par des murailles par rapport à la simple ville, tandis que l'aristocratie, où se mêlent les racines gallo-romaines, burgondes et franques, possède d'immenses domaines ruraux. Les évêques jouent un rôle souvent décisif dans l'organisation de la société, jusqu'aux invasions arabes de 725 à 731. Charles Martel reprend la situation en main et soumet la Bourgogne à une dure occupation. Jusqu'à Charlemagne, elle tente de résister mais elle est peu à peu soumise à l'œuvre d'unification de l'Empire.

À la mort de Charlemagne, la confusion règne à nouveau. En 843, la bataille de Fontenoy-en-Puisaye conduit au traité de Verdun par lequel Charles le Chauve reçoit le quart nord-ouest de la « Grande Burgondie » (entre la Loire et la Saône), cependant que Lothaire obtient le reste de l'Empire : ce qu'on appellera la Lotharingie, objet de beaucoup de rêves futurs…

Durant les années suivantes, et alors que les invasions normands sont difficilement repoussées, la vie s'organise autour du *pagus*, territoire placé sous l'autorité d'un comte, vassal du roi : nos « pays » actuels (Auxois, Tonnerrois, etc.) viennent souvent de là. Comte d'Autun, Richard le Justicier réussit à vaincre les Normands en 911. Il porte le titre de duc. Réunissant la plupart des *pagi* de la Bourgogne française (la Lotharingie ayant évolué vers le monde germanique), le duché se constitue de Troyes à Chalon et de Nevers à Beaune. Les rois de France ne manquent pas de le convoiter. De multiples tribulations aboutissent à l'autonomie du Nivernais en 1002 puis à la naissance du duché capétien de Bourgogne donné en 1032 à Robert, duc à titre héréditaire et vassal de son frère le roi Henri Ier. Mâcon, Sens, Auxerre, Langres et Troyes ne font plus partie de cette Bourgogne restreinte à son « noyau dur » et qui choisit alors Dijon comme capitale.

La mort de Brunehaut

Grand-mère et tutrice du roi Thierry II, la reine Brunehaut s'installe en Bourgogne au début du VIe siècle. Elle accomplit une œuvre considérable : fondations religieuses à Autun, restaurations des voies romaines (les « chaussées de Brunehaut » parfois appelées ainsi aujourd'hui encore), exploitations agricoles modèles, consolidation du pouvoir royal. Lésés dans leurs intérêts, les grands féodaux la capturent et la livrent à son neveu Clotaire II, roi de Neustrie, son pire ennemi. À Renève (Côte-d'Or), il la fait mettre à mort en 613 dans des conditions particulièrement atroces : sa chevelure attachée à la queue d'un cheval lancé au grand galop. Elle sera inhumée à Autun.

Le supplice de Brunehaut in Grandes Chroniques de France, *Paris, XIVe siècle.*
Bibliothèque nationale, Paris
FR 2813, fol. 60 V.

Chapiteau de la crypte de Saint-Bénigne de Dijon.
Photo Hervé Champollion.

Durant ces temps mérovingiens, carolingiens, capétiens, troublés et sanglants, l'idée bourguignonne prend son envol. Ce n'est plus le royaume burgonde qui s'étendait jusqu'à la Méditerranée, ni la Lotharingie s'enfonçant dans l'empire germanique, mais l'expression d'un message universel, le message roman offert à la civilisation et à la culture. Mille ans plus tard, il a le même élan, inspire un égal émerveillement. L'Église apparaît en effet comme un rempart contre le désordre et le malheur. Les évêques jouent ainsi un rôle de plus en plus important. Certains d'entre eux, comme saint Germain d'Auxerre qui occupe ce siège au début du Vᵉ siècle après avoir commandé les garnisons romaines de la côte atlantique, font figure de grands administrateurs civils tout autant que religieux.

La christianisation s'achève avec la disparition du paganisme. Sans doute le vieux fonds celte ne s'efface-t-il pas en un jour. Cette culture subsiste à l'évidence dans la pierre taillée des églises, évoquant les monstres et légendes des Gaulois.

Les saints (saint Seine succédant par exemple à la déesse Séquana) remplacent souvent les anciennes divinités locales. Puis vient le temps des moines : la première abbaye bourguignonne est fondée au Vᵉ siècle à Moutiers-Saint-Jean. Adoptant la règle bénédictine à la suite du concile d'Autun en 670, les fondations sont nombreuses et rayonnantes : Saint-Seine, Bèze, Flavigny, Saint-Bénigne de Dijon, Saint-Marcel de Chalon, Saint-Germain d'Auxerre, Saint-Etienne de Nevers, etc.

Cluny au centre du monde

En 909, le duc Guillaume d'Aquitaine cède au moine Bernon et à ses douze compagnons venus de Baume-les-Messieurs sa villa et ses terres de Cluny en Mâconnais, pour y fonder un monastère indépendant de tout autre pouvoir que celui du pape. En quelques décennies, Cluny va devenir avec Rome le centre du monde chrétien. Les grands abbés fondateurs sont Odon, Aymard, Mayeul qui refuse la tiare pontificale, Odilon qui établit la fameuse trêve de Dieu et instaure la commémoration des fidèles défunts (le Jour des morts) au lendemain de la Toussaint, Hugues grand bâtisseur temporel et spirituel, deux autres puis Pierre le Vénérable qui accueille Pierre Abélard et le réconcilie avec l'Église, traduit en latin le Coran…

Fresque de la crypte de la cathédrale d'Auxerre. Photo Hervé Champollion.

L'ordre de Cluny comprend à son apogée (XIIIe siècle) quelque dix mille religieux dans un millier de maisons et dans une grande partie de l'Europe. Le moine se consacre essentiellement à la prière et aux offices. La liturgie s'épanouit à Cluny dans une abbatiale qui grandit de siècle en siècle jusqu'à devenir la plus grande église de la Chrétienté jusqu'à la construction de Saint-Pierre de Rome (Cluny III construit à partir de 1080). Callixte II est élu pape ici. Cet ordre disparaîtra à la Révolution.

Paray-le-Monial, Autun, Tournus, Nevers, La Charité-sur-Loire, Auxerre, Vézelay, Dijon, partout l'architecture romane chante la gloire de Dieu. Autour de l'an mil, la Bourgogne se couvre du blanc manteau des églises, selon la formule du moine bourguignon Raoul Glaber. Le Brionnais illustre à merveille cette éclosion. En 1002, Guillaume de Volpiano entreprend la construction de l'abbatiale de Saint-Bénigne à Dijon dont subsiste de nos jours la crypte circulaire sous la cathédrale actuelle. La sculpture des églises exprime toute l'élévation de l'âme et une profonde connaissance de la nature humaine. C'est par exemple l'Ève d'Autun, œuvre de Gislebert, l'un des rares artistes de cette époque à nous avoir laissé son nom.

L'Ève d'Autun, sculptée sans doute par Gislebert.
Musée Rolin, Autun. Photo Hervé Champollion.

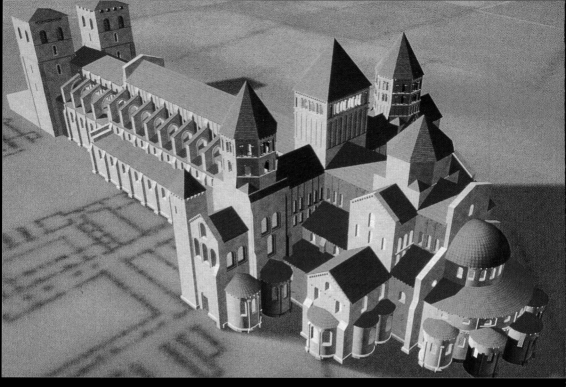

Reconstruction informatique de Cluny III. © Artway.

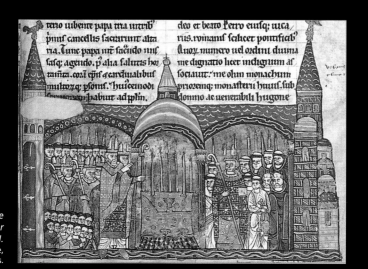

teɪɪo uɪbente papa tɪa urtɪb'
pnnuʃ cancelliʃ ʃacɪaɪunt alta
ɪɪa. Tunc papa ɪnʃ ʃacndo nnʃ
ʃaʃq̃; agendo. p̃ alɪa ʃalutɪʃ hoɪ
taɪnta. coɪd eʃʃ ge cardmalibuʃ
multoɪq̃; pʃonnuʃ. huɪccmodɪ
deo et beato Petro euʃq̃; uɪca /
ɪɪuʃ.ɪomanuʃ ʃcɪlcct pontɪficab'
Anoⱬ numero uel oɪdɪnɪ duɪma
me dɪgnatɪo lɪcct mcdɪgnnm aʃ
ʃocɪaurt: me olɪm monachum
pɪɪoɪcmq̃; monaʃterɪɪ huɪuʃ. ʃub
donno ac uenerabɪlɪ hugone

Consécration de l'autel de Cluny par le pape Urbain II. Bibliothèque nationale, Paris.

18

*Le clocher de l'Eau bénite et la tour de l'Horloge sur le bras sud
du grand transept de l'abbaye de Cluny.*
Photo Hervé Champollion.

*4e chapiteau : les Vertus
(abbaye de Cluny).*
Photo Hervé Champollion.

L'élan de Cîteaux

En réaction contre Cluny, ses fastes et ses richesses (« Où que le vent vente, disait-on, Cluny prend sa rente »), saint Robert de Molesme fonde en 1098 l'abbaye Notre-Dame de Cîteaux sur la plaine marécageuse du bas pays dijonnais. Ce « Nouveau Monastère » recherche la vie austère des anciens moines, la vraie règle de saint Benoît. En 1112, le futur saint Bernard accompagné d'une vingtaine de jeunes gens et de membres de sa famille donne un élan décisif à cette humble fondation. Ce mouvement ébranle le monde chrétien du XIIIe

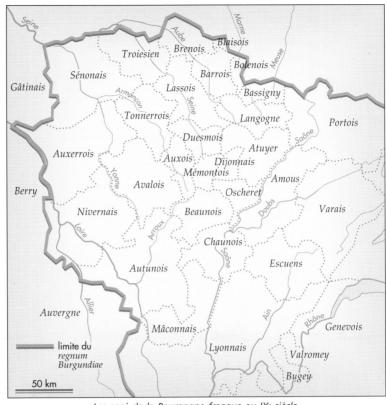

Les pagi de la Bourgogne franque au IXe siècle.

siècle, comme l'avait fait naguère Cluny. En quarante ans seulement, Cîteaux devient chef d'ordre de 343 abbayes et on comptera près de 3 000 fondations au plus fort de cette aventure spirituelle.

L'esprit de Cîteaux se traduit dans la pierre par une nudité inspirée, le dépouillement absolu que révèle aujourd'hui encore l'abbaye de Fontenay. Tympans et chapiteaux ne distraient plus le regard ni la pensée, ne racontent plus d'histoires ou de légendes. Cette pureté ne durera guère plus d'un siècle, mais marquera profondément la Chrétienté de son empreinte. Toujours vivante à la fin du XXe siècle, l'abbaye de Cîteaux célèbre en 1998 son neuvième centenaire.

Mais déjà le monde change. Caractéristique de l'art gothique, la voûte sur croisée d'ogives apparaît dès 1140 à Vézelay, Sens et Pontigny. Le chœur de la cathédrale d'Auxerre marque plus sensiblement encore cette évolution en 1215. Puis éclate l'art gothique bourguignon, particulièrement à Dijon (Notre-Dame), Semur-en-Auxois, Clamecy, dans des bourgs ou villages comme Varzy, Saint-Père-sous-Vézelay ou Saint-Seine-l'Abbaye.

Semur-en-Auxois. Photo Hervé Champollion.

Le cloître de l'abbaye de Fontenay. Photo Hervé Champollion.

Pontigny, le vaisseau gothique du XIIIe siècle.

Manuscrit de Cîteaux, XIIe siècle : scène de chasse.
Bibliothèque municipale de Dijon, Ms 173, f 174.

L'ÉLAN DE CITEAUX

solo dicebant · qr ics uir nil in iuis
actib; duplicitatis habuit? que teſti
uertas · de cordis ſimplicitate lauda
EXPLICIT LIBER DVODECIM
INCIP̃ LIB̃ .XIII ;
xvi̇j

S

SE

ħOC
PVERSORV̅ PPRIV̅
ſolet · qd̃ mala ſua p conuttuĩ boni in

*Manuscrit de Citeaux,
début du XIIᵉ siècle : initiale E,
scène de vendanges.
Bibliothèque municipale de Dijon, Ms 170, f 32.*

La salle capitulaire de Fontenay.

En 1361, le jeune duc de Bourgogne Philippe de Rouvres meurt de la peste. Il n'a pas d'héritier direct et la lignée des ducs capétiens s'éteint alors. Le décor est sombre. Outre les épidémies, les gens de guerre (les « Grandes Compagnies ») ravagent périodiquement le pays qui se relève à chaque fois meurtri et affaibli. Le roi de France Jean le Bon prend possession du duché et le remet dès 1363 à son fils Philippe le Hardi. Celui-ci avait vaillamment assisté le roi à la bataille de Poitiers (« Père, gardez-vous à droite ! Père, gardez-vous à gauche ! »).

Premier duc Valois de Bourgogne, Philippe le Hardi épouse l'une des plus riches héritières de toute l'Europe, Marguerite de Flandre. À la mort de son beau-père en 1384, il reçoit le comté de Bourgogne (l'actuelle Franche-Comté), le Nivernais, Rethel, l'Artois, la Flandre. La Bourgogne accroît considérablement son influence, car la Flandre est à cette époque un très important foyer économique. Le règne des Valois de Bourgogne dure un siècle. Il porte le duché à son apogée territoriale, politique et culturelle.

Portrait de Philippe le Bon par Roger Van der Weyden.
© Musée des Beaux-Arts de Dijon.

Jean sans Peur succède à son père en 1404. Il s'efforce de dominer la France, fait assassiner son cousin Louis d'Orléans, provoque une guerre civile et sera tué au pont de Montereau en 1419. Son fils Philippe le Bon dirige le duché de cette date à 1467. De sa mère Marguerite de Bavière, il reçoit Hainaut, Hollande et Zélande, de son cousin Saint-Pol Brabant, Limbourg et Luxembourg. La puissance bourguignonne est à son point culminant, le duché s'étendant sur la Belgique, le Luxembourg et les Pays-Bas actuels.

Philippe le Bon s'allie aux Anglais contre le dauphin de France et les Armagnacs. Jeanne d'Arc sera leur victime. Épousant enfin la cause française, le duc obtient Bar-sur-Seine, Auxerre et Mâcon pour prix de son ralliement. Charles le Téméraire, son fils, poursuit cette politique de 1467 à sa mort en 1477. Il cherche à se faire couronner roi par l'empereur Frédéric III, échoue dans cette entreprise, s'efforce de conquérir l'Alsace et la Lorraine, est défait par les Suisses à Grandson et Morat avant de mourir au combat devant Nancy.

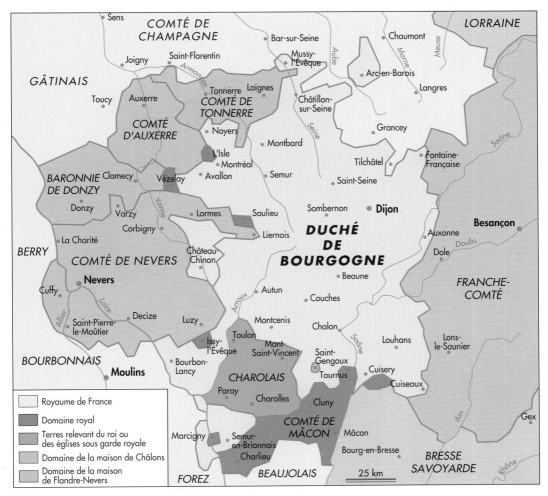

Les principautés féodales au début du XIVᵉ siècle.

L'épopée de la Toison d'or

Les ducs Valois de Bourgogne ne viennent guère à Dijon. Tout juste y naissent-ils et pensent-ils à s'y faire inhumer. Si l'on excepte sa première enfance, Charles le Téméraire durant toute sa vie passera une semaine seulement à Dijon. Il s'agit d'une sorte de « maison de famille » où l'on vient parfois respirer avec émotion l'odeur du grenier. Le cœur du duché se situe à Bruges, Gand, Anvers, Malines, Bruxelles, et c'est pour la Bourgogne la plus étrange des aventures.

Au tournant du Moyen Âge et de la Renaissance, XIVᵉ et XVᵉ siècles, les grands ducs d'Occident sont les mécènes les plus fastueux d'Europe. Ils décrètent le goût, la mode, les usages. On garde

La famille Jacquemart sur l'église Notre-Dame de Dijon, horloge saisie à Courtrai par le duc de Bourgogne et rapportée comme trophée. Photo CRT Bourgogne.

Tombeau de Philippe Pot, grand sénéchal de Bourgogne (mort en 1493), provenant de l'abbaye de Cîteaux. Sculpture d'Antoine Le Moiturier. Musée du Louvre.
© Photo RMN.

Portrait de Charles le Téméraire. DR.

Tombeau de Philippe le Hardi.
© Musée des Beaux-Arts de Dijon. Photo Hervé Champollion.

Polyptyque du Jugement dernier *par Roger Van der Weyden (vers 1445) à l'hôtel-Dieu de Beaune.* Photo Éditions La Goëlette.

Retable de la chartreuse de Champmol en bois doré (1391) par Jacques de Baerze. Musée des Beaux-Arts de Dijon. Photo Hervé Champollion.

Détail du Jugement dernier :
l'archange saint Michel.
Photo Éditions La Goëlette.

Le puits de Moïse à Dijon.
Photo CRT Bourgogne.

le souvenir de leurs tournois (le pas d'armes de Marsannay en 1443), de leurs banquets (celui du Faisan à Lille en 1453), de leurs fondations (la chartreuse de Champmol à Dijon en 1383, où ils auront leurs tombeaux). L'ordre de la Toison d'or, créé en 1430 par Philippe le Bon, a son siège à la sainte-chapelle de Dijon.

Les ducs font venir à Dijon Claus Sluter pour orner la chartreuse de Champmol du portail et du puits des prophètes (le Puits de Moïse). Claus de Werve, Juan de La Huerta, Antoine Le Moiturier sculptent les pleurants des mausolées de Philippe le Hardi et de Jean sans Peur. Le chancelier Nicolas Rolin fait édifier l'hôtel-Dieu de Beaune sur le modèle de l'hôpital de Valenciennes et commande à Roger Van der Weyden le polyptyque du *Jugement dernier*.

Pour la Bourgogne, quel appel d'air, ouvrant la région sur de vastes horizons, sur des échanges commerciaux (le vin contre du tissu) ! Cet âge d'or flamboyant exprime tout l'art européen à cette époque. Il inspire l'unité européenne.

Armorial de la Toison d'or.
La famille de Vergy
Photo CRT Bourgogne.

La Bourgogne réunie à la France

Le vieil adversaire de Charles le Téméraire attend son heure. Louis XI s'empare de la Bourgogne actuelle dès la bataille de Nancy et la réunit à la France. Fille unique du Téméraire, Marie de Bourgogne tente de défendre ses droits : « Je prie qu'ils retiennent toujours en leur courage la foi de Bourgogne quand bien même ils seraient contraints de parler autrement », écrit-elle dès janvier 1477 aux Dijonnais. Mais Louis XI a le dernier mot.

Marie a épousé l'archiduc Maximilien d'Autriche. Elle meurt bientôt. Le démembrement de l'État bourguignon s'achève, les Pays-Bas, l'Artois et la Franche-Comté passant entre les mains de Maximilien, puis à Charles Quint. La Bourgogne devient donc et pour deux siècles une frontière face à l'Empire.

Châteauneuf-en-Auxois.
Photo CRT Bourgogne.

À visiter

La chartreuse de Champmol et le musée des Beaux-Arts de Dijon, l'hôtel-Dieu de Beaune, les châteaux de Germolles (Chalonnais), de La Rochepot, de Châteauneuf-en-Auxois. La Belgique et les Pays-Bas, bien sûr où l'œuvre bourguignonne demeure considérable (les tombeaux de Charles le Téméraire et de Marie de Bourgogne en l'église Notre-Dame de Bruges). Les musées de Berne (le Butin de Bourgogne, pris par les Suisses à Charles le Téméraire) et de Vienne en Autriche (la Toison d'or).

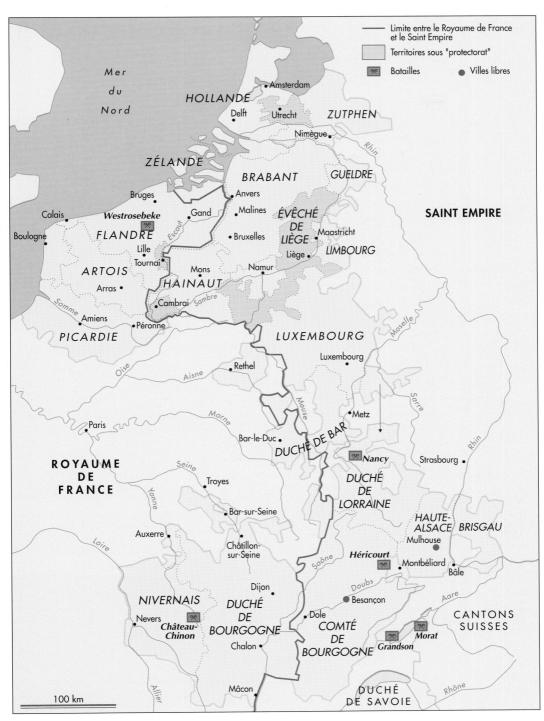

Les États de Bourgogne à l'époque des Valois aux XIVe et XVe siècles.

Définitivement soumis par les armes en 1479, le duché de Bourgogne devient français. Le Tonnerrois l'est déjà depuis le traité d'Arras en 1435, le Nivernais depuis 1463, l'Auxerrois depuis 1476. Jusqu'à l'annexion de la Franche-Comté par Louis XIV en 1678, la Saône constitue une frontière entre le royaume et l'empire. Les villes construites au bord de la rivière, Auxonne par exemple, sont fortifiées car la guerre éclate souvent. En 1513, les Suisses parviennent aux portes de Dijon. En 1636, l'armée impériale commandée par Galas ravage les pays de la Saône et de la Vingeanne malgré l'héroïque défense de Saint-Jean-de-Losne.

Ancy-le-Franc : le château des Clermont-Tonnerre.
Photo Hervé Champollion.

D'autres difficultés apparaissent, comme les affrontements entre catholiques et protestants. Sage et modérée, la Bourgogne refuse les massacres de la Saint-Barthélemy. Elle prend parti pour la Ligue, contre Henri IV qui remporte cependant la bataille de Fontaine-Française en 1595 contre les Espagnols venus au secours des ligueurs. L'ensemble du royaume se rallie au roi. La Bourgogne sera de même assez prudente à l'époque de la Fronde, s'engageant faiblement contre le roi. Les protestants sont contraints à l'éveil. Le mouvement janséniste acquiert une forte influence en Bourgogne, surtout dans l'évêché d'Auxerre.

Des institutions assez stables

L'Idée bourguignonne s'apaise encore. Il ne s'agit plus de refaire la carte du monde, ni de guider l'Europe, mais d'assurer ses libertés. La province conserve jusqu'à la Révolution ses institutions des XIVe et XVe siècles : le parlement fixé à Dijon en 1480 et dont le rôle est judiciaire ainsi que politique, la Chambre des comptes, les états réunis tous les trois ans pour voter et affecter les impôts. Les élus (un représentant de la noblesse, un du clergé et un du tiers état) dirigent entre-temps l'administration régionale. Il s'y ajoute les institutions de la monarchie : le gouverneur, charge militaire et politique assurée par les princes de Condé de 1631 à 1789 ; l'intendant qui apparaît comme le prédécesseur du préfet de région.

La généralité de Bourgogne comprend le duché proprement dit, l'Auxerrois, le Mâconnais qui conserve ses états, le Charolais racheté par les Condés en 1684, la Bresse, le Bugey et le pays

Ancy-le-Franc : la galerie de Pharsale.
Photo Hervé Champollion.

Palais ducal de Nevers.
Photos Hervé Champollion.

La faïence de Nevers

Plat du début du XVIIᵉ siècle. Décor d'une scène de « Chasse au faucon » tirée d'une gravure hollandaise. Musée municipal de Nevers. Photo F. Morin.

Grand plat du début du XVIIᵉ siècle, décor polychrome d'animaux, serpents, grenouilles et écrevisses, traités en ronde bosse à la manière de B. Palissy.
Musée municipal de Nevers.
Photo F. Morin.

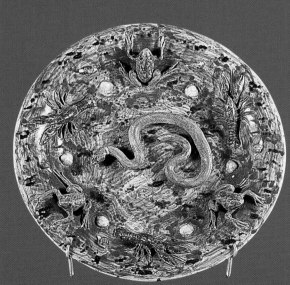

Jatte datée de 1751, décor polychrome, retraçant les querelles entre maris et femmes.
Musée municipal de Nevers.
Photo F. Morin.

L'organisation politique et administrative de la Bourgogne sous la monarchie aux XVIIᵉ et XVIIIᵉ siècles.

de Gex acquis en 1601. Si la Bourgogne s'étend alors jusqu'aux abords de Genève, le Tonnerrois ayant pour seigneurs les Clermont puis les Le Tellier de Louvois, relève de la généralité de Paris. Quant au Nivernais où se succèdent les familles de Clèves, de Gonzague et les Mancini, il garde sa propre Chambre des comptes et se trouve écartelé entre diverses généralités (Moulins, Bourges, Orléans, Paris).

L'âge classique

L'essor économique voit la Bourgogne changer. À Nevers, les Gonzague importent d'Italie l'art de la faïence. Hauts fourneaux et forges utilisent le bois et les minerais. Cette sidérurgie préindustrielle s'accompagne d'un début d'exploitation de la houille. Le Creusot possède une cristallerie. Mais la Bourgogne tire encore l'essentiel de sa richesse de la terre : prestige de ses vins, flottage du bois du Morvan qui emporte des trains de bûches à Paris, développement de l'embouche (l'engraissement sur pré) et expansion de la race bovine charolaise, céréales… La province est active et ses responsables dynamiques. Ils lancent des programmes routiers, entreprennent la création de canaux reliant la Saône au Rhin, à la Seine et à la Loire (1783, l'obélisque du port du canal à Dijon marquant la volonté d'unir « les trois mers »).

Dijon compte à peine 20 000 habitants. On y vit essentiellement de l'administration provinciale. Une faculté de droit y est créée. Les « grandes familles » appartiennent à la noblesse de robe (magistrats) ainsi qu'à la bourgeoisie enrichie. Cette classe en pleine ascension sociale fait construire en ville des hôtels particuliers entre cour et jardin, restaure de vieilles forteresses à la campagne pour en faire des châteaux plus accueillants, dans le goût classique, ornés de vastes jardins à la française. Auparavant, la Renaissance s'est exprimée ici de façon très bourguignonne (le style Hugues Sambin à Dijon), ou d'inspiration italienne.

La première femme autour du monde

Première femme à avoir accompli le tour du monde, Jeanne Baret reste un personnage méconnu. Pourtant, quelle aventure ! Née en 1740 à La Commelle (Saône-et-Loire), cette Bourguignonne qui n'a pas froid aux yeux fait partie de l'expédition de Bougainville en 1765. Domestique du botaniste Philibert Commerson, déguisée en garçon et en réalité sa compagne, elle réussit à tromper la vigilance de l'équipage. Elle sera néanmoins reconnue comme femme lors de l'escale de Tahiti ! Le couple débarque en 1768 à l'île de France (île Maurice) où meurt Commerson en 1773. Jeanne Baret veille sur ses collections d'histoire naturelle. Elle ouvre un cabaret, se marie avec un Français, puis revient dans son pays natal où elle meurt en 1807.

Le rayonnement de l'esprit

Considérable à cette époque, le rayonnement de l'esprit bénéficie des collèges que fondent les jésuites dans presque toutes les villes. Sainte Jeanne de Chantal institue l'ordre de la Visitation. Né comme celle-ci à Dijon, Jacques-Bénigne Bossuet étudie dans cette ville. Sainte Marguerite-Marie a la révélation du Sacré-Cœur dans son couvent de Paray-le-Monial.

L'académie de Dijon (1740) joue un rôle très actif dans cet élan. Elle « découvre » un auteur inconnu : Jean-Jacques Rousseau, lauréat de son prix pour son *Discours sur les progrès des sciences et des arts*. Les enfants du pays s'appellent Georges Leclerc, comte de Buffon, le président de Brosses, Jean-Philippe Rameau. Religieux à Beaune, Edme Mariotte établit la loi chimique qui portera son nom. Sébastien Leprestre de Vauban naît en Morvan et renouvelle l'art des fortifications. L'architecte Germain Soufflot part d'Irancy pour construire Sainte-Geneviève à Paris (le Panthéon). Originaire de Tournus, Jean-Baptiste Greuze est l'un des peintres et dessinateurs les plus remarquables du XVIIIe siècle. Les états de Bourgogne fondent une académie de peinture et sculpture qui devient bientôt internationale. Ils créent un prix de Rome dont les lauréats (Bénigne Gagnereaux, Pierre-Paul Prud'hon, etc.) témoignent aujourd'hui encore d'un choix très sûr.

La tour de Bar à Dijon.
Photo Hervé Champollion.

Escalier de Gabriel au palais des Ducs et des États de Bourgogne (détail).
Photo Hervé Champollion.

Le Palais des États de Bourgogne

L'ancien palais des ducs de Bourgogne à Dijon est réaménagé et reconstruit aux XVIIe et XVIIIe siècles pour l'administration de la province sous la monarchie. On a la sagesse d'en conserver la vieille tour médiévale, rappelant le rêve ambitieux des grands ducs Valois. Elle ordonne avec hauteur un ensemble monumental d'inspiration très classique, conçu et réalisé par les plus grands architectes de l'époque (Jules Hardouin-Mansart, Jacques Gabriel notamment). C'est là que travaillent les élus et l'administration de la province, que se réunissent les états de Bourgogne (salle des États). Aujourd'hui, l'hôtel de ville de Dijon.

Le château de Bussy-Rabutin (Côte-d'Or).
Photo Hervé Champollion.

Détail des tapisseries du château de
Commarin (Côte-d'Or).
Photo Hervé Champollion.

Le château de Tanlay (Yonne). Photo Hervé Champollion.

Le château d'Arcelot.
Photo Hervé Champollion.

Le château de Pierre-de-Bresse
(Saône-et-Loire).
Photo Hervé Champollion.

Le cabinet de Sainte-Cécile
au château de Cormatin
(Saône-et-Loire).
Photo Alexandre Bailhache.

L'hiver 1789 est particulièrement rigoureux. On manque de blé, de pain. Une mauvaise récolte s'annonce dans le vignoble. Des émeutes éclatent déjà. La convocation des États généraux à Versailles libère tous les mécontentements, de natures très diverses. Les cahiers de doléances expriment l'aspiration à un changement politique (les avocats se montrent très actifs dans le mouvement patriote) ainsi que les griefs plus populaires du monde rural. La majorité des députés du clergé et du tiers état élus en Bourgogne se range dans le camp des idées nouvelles.

Naissance des départements

Tandis que la situation devient agitée (les municipalités des villes remplacées par des comités, la Grande Peur en Mâconnais où les paysans attaquent plusieurs châteaux et sont durement réprimés à Hurigny), la province de Bourgogne disparaît pour laisser place aux départements (1791). L'ancien gouvernement du Nivernais devient la Nièvre. La Côte-d'Or et la Saône-et-Loire correspondent à l'ancienne généralité : l'Avallonnais et l'Auxerrois sont regroupés avec des terres de Champagne, d'Ile-de-France et d'Orléanais pour former l'Yonne.

La Bresse qui était bourguignonne est découpée en trois parties : louhannaise en Saône-et-Loire, une partie dans le Jura, une autre dans l'Ain. Des luttes sévères ont lieu entre les villes. Auxerre devient chef-lieu de l'Yonne, mais l'archevêché reste à Sens. En Saône-et-Loire, Mâcon gagne le

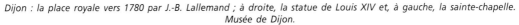

Dijon : la place royale vers 1780 par J.-B. Lallemand ; à droite, la statue de Louis XIV et, à gauche, la sainte-chapelle. Musée de Dijon.

chef-lieu, Autun garde l'évêché et Chalon-sur-Saône obtient le tribunal. Cette nouvelle organisation se réalisera en quelques mois. Elle s'avérera durable, implantant solidement les départements dans la vie locale française.

L'Ancien Régime s'effondre : ses institutions disparaissent. À Dijon, le château est pris. Le vaste Palais des États de Bourgogne tout juste achevé n'a plus de raison d'être. Le clergé est dépouillé de ses domaines immenses, notamment ceux des abbayes et des chapitres. La vente des biens nationaux concerne également la noblesse quand elle a émigré à l'étranger. Le petit peuple n'y trouve guère d'avantages, car la réorganisation sociale s'opère surtout au profit de la bourgeoisie qui a opté pour la Révolution ainsi que pour une classe nouvelle de paysans déjà aisés.

De la Révolution à l'Empire

Si les clubs et sociétés populaires se montrent ici assez actifs, la Bourgogne traverse la Révolution dans un calme relatif. L'attachement à la foi catholique demeure vivace, en Charolais et Brionnais notamment, tandis que la majorité des prêtres bourguignons refuse le serment à la constitution civile du clergé. Evêque éphémère d'Autun, Talleyrand regagne bientôt Paris pour y entreprendre une éclatante carrière politique. Les tensions les plus violentes se produisent lors du passage de Fou-

La Côte-d'Or

L'embarras des Constituants est grand, en 1790, quand il faut donner un nom à ce département qui n'en trouvait pas. Haute-Seine ? Seine-et-Saône ? Soudain un obscur député du cru, Claude Arnoult, a une idée géniale, se lève et propose : Côte-d'Or ! On parlait depuis longtemps de la Côte, mais nul auparavant n'avait imaginé ce surnom. La couleur de la vigne en automne, cette superbe Toison d'or fait-elle rêver un instant les esprits ? Boit-on une bouteille de Meursault Goutte d'or apportée par la délégation bourguignonne ? Il se fait tard, il faut en finir. Va pour la Côte-d'Or ! Seule à évoquer la vigne et le vin, à recevoir un nom de fantaisie annonçant la publicité touristique (Côte d'Azur, Côte d'Opale...), la Côte-d'Or réussit à décrocher le plus beau nom de tous les départements.

ché dans la Nièvre ou d'« envoyés en mission » au tempérament vigoureux. Mais la Terreur apparaît plutôt modérée. Il ne manque cependant pas de Bourguignons au cœur de la Révolution. Les uns comme Saint-Just, Basire ou Chaumette vont être emportés par le torrent de l'histoire. D'autres comme Carnot, Monge, Prieur de la Côte-d'Or, Guyton-Morveau jouent un rôle différent : en organisant les armées, en créant l'École polytechnique, en fondant l'ordre nouveau.

Le patrimoine monumental civil souffre peu. En revanche, durant ces années-là et jusqu'au début du XIXe siècle, l'absence de tout attachement au patrimoine provoque des saccages inestimables : l'abbaye de Cluny, celle de Cîteaux, la chartreuse de Champmol, d'innombrables monastères sont convertis en carrières de pierre, systématiquement détruits tandis que leurs trésors (sculptures, peintures, bibliothèques) partent aux quatre vents. C'est ainsi que le tombeau de Philippe Pot (Cîteaux) se retrouvera un jour au Louvre, ceux de Philippe le Hardi et de Jean sans Peur (Champmol) au musée des Beaux-Arts de Dijon, les manuscrits de Cîteaux à la bibliothèque municipale de Dijon... parmi beaucoup d'autres chefs-d'œuvre malheureusement perdus ou dispersés.

De Cadet Roussel à Polytechnique

Durant la Révolution, l'huissier Roussel se montre si ridicule à Auxerre que l'on compose la chanson *Cadet Roussel* pour se moquer de lui. Elle le rendra célèbre. Comme le capitaine Coignet, vieux briscard de l'Yonne, qui écrira ses *Cahiers,* l'épopée militaire de l'Empire au jour le jour. Ou encore Rétif de la Bretonne, enfant de Sacy dans l'Yonne qui raconte Paris en pleine Révolution dans d'innombrables livres.

Lazare Carnot, né à Nolay en 1753, n'est pas seulement l'Organisateur de la victoire en 1793-1795. Il énonce la loi de conservation du travail et il ouvre la voie à la géométrie moderne avec Gaspard Monge, né à Beaune en 1746, créateur de la géométrie descriptive. Tous les mathématiciens du XIXe siècle seront ses disciples. Il se dévoue sans compter à son enfant, l'Ecole polytechnique, où enseigne également un autre Bourguignon, Louis-Bernard Guyton-Morveau, né à Dijon en 1737, auteur de la première nomenclature chimique, inventeur de la désinfection de l'air par l'acide chlorhydrique et qui, le 25 avril 1784, fit de Dijon à Auxonne la première expérience aérostatique bourguignonne : le premier voyage en ballon libre dans les airs.

Bonaparte est presque un enfant du pays. Il a étudié à Autun, puis il a été jeune lieutenant à Auxonne. Le coup d'État du 18 Brumaire est accueilli avec satisfaction. On souhaite profondément le retour à l'ordre, et une certaine prospérité s'établit. Alors que les premiers préfets organisent la nouvelle vie bourguignonne, la guerre reprend. Davout, Junot et Marmont s'illustrent comme les grandes figures militaires de la Bourgogne sous l'Empire, cependant que Monge et Denon participent à l'expédition d'Égypte et y contribuent à l'épanouissement des sciences.

À partir de 1811, la disette réapparaît. La métallurgie de la Saône-et-Loire et de la Nièvre décline, concurrencée par des procédés nouveaux (fonte au coke). Les invasions de 1814 et 1815 malmènent la Bourgogne. L'empereur d'Autriche s'établit à Dijon ; les souverains alliés se réunissent à Châtillon-sur-Seine pour tenter de régler l'avenir de la France. Les malheurs de cette occupation militaire et la « fibre bleue » (les conquêtes de 1789, associées dans l'esprit des gens à celles de l'Empire) expliquent l'accueil triomphal fait à Napoléon pendant les Cent-Jours.

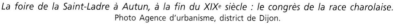

La foire de la Saint-Ladre à Autun, à la fin du XIXe siècle : le congrès de la race charolaise.
Photo Agence d'urbanisme, district de Dijon.

LE SIECLE DU CHANGEMENT

De 1815 (la Restauration) à 1914 (le début de la Première Guerre mondiale), la Bourgogne vit de profonds bouleversements sociaux, économiques et politiques. Sans doute sont-ils inséparables désormais de l'évolution du pays tout entier. Ils illustrent cependant l'ampleur du changement au XIXe siècle.

La Bourgogne rentre sous terre et prend son mal en patience. Bien sûr, elle continue d'intéresser les géographes, les historiens, les artistes. Mais dans le simple cadre départemental l'Idée bourguignonne apparaît à l'étroit et comme une nostalgie. Dans les domaines de l'éducation (rectorat de l'académie), de la justice (la cour d'appel), de la défense nationale (les circonscriptions militaires), il existe des « régions » mais leurs limites varient. Dijon a perdu son statut de capitale régionale, devenant un modeste chef-lieu de département. Son attraction s'exerce d'ailleurs surtout sur la Haute-Marne, l'Aube, la Haute-Saône, le Jura, moyennement sur l'Yonne et la Saône-et-Loire, peu sur la Nièvre. Les pays (Auxois, Morvan, etc.) conservent une existence vivace, notamment à travers une circonscription presque disparue aujourd'hui mais active autrefois : l'arrondissement.

De la campagne à la ville

Si l'on s'en tient néanmoins à l'actuelle région et à ses quatre départements, la Bourgogne est encore très peuplée et 75 % de ses habitants vivent à la campagne. Celle-ci toutefois va se vider peu à peu, l'exode rural remplissant les usines et les villes. Dijon passera de 20 000 à 80 000 habitants entre 1800 et 1900.

S'étendant beaucoup plus que de nos jours, la vigne et le vin de Bourgogne créent un monde rural aux idées avancées et assez prospère. Le reste du monde agricole se partage entre deux grands ensemble : le bocage (presque toute la Nièvre et la Puisaye, le Morvan, l'ouest de la Saône-et-Loire, la Bresse, une partie de la Côte-d'Or) et l'openfield, les grands espaces cultivés (Châtillonnais, la plus grande partie de l'Yonne, les plateaux).

À Mâcon, mosaïque murale réalisée en 1983, évoquant le discours de Lamartine en 1847.
Photo Hervé Boulé.

La grande industrie apparaît, à l'initiative des familles Marmont à Sainte-Colombe (Châtillonnais), Boignes à Imphy et Fourchambault (Nivernais) et surtout au Creusot où s'implante la famille Schneider en 1836. Ce sera bientôt la plus puissante entreprise métallurgique de France. De même, la famille Chagot exploite en grand les mines de charbon du bassin de Blanzy et d'Épinac. La vieille métallurgie cède la place aux forges et hauts fourneaux modernes. Les fils de paysans deviennent par milliers des ouvriers d'usine, dans un milieu mi-rural mi-urbain, avec les mérites et les défauts d'un système très paternaliste où l'on est assuré d'une vie relativement décente toute sa vie (l'emploi, le logement, les études et la promotion sociale, les soins médicaux, la retraite), mais dans la mesure où l'on s'intègre à une société totalement hiérarchisée et organisée d'en haut.

Jusqu'à la IIIe République, les notables traditionnels (la société de l'Ancien Régime réinstallée dès l'Empire, les classes possédantes nouvelles) dirigent la vie bourguignonne aux côtés des dynasties industrielles naissantes. Le réseau routier s'améliore et l'on peut enfin traverser le Morvan de Nevers à Dijon. Achevé dès 1793, le canal du Centre est complété par les canaux de Bourgogne (1832), du Rhône au Rhin (1834), latéral à la Loire (1838) et du Nivernais (1842). Le chemin de fer est pour bientôt : le Paris-Lyon-Marseille par Dijon mis en service au milieu du siècle, Nevers étant desservi par un embranchement (1851) sur la voie Paris - Clermont-Ferrand.

La Bourgogne politique penche pour le libéralisme, sans doute lié aux intérêts des grands notables mais exprimant le refus de l'ultraroyalisme. Le sentiment napoléonien garde de l'influence. Ainsi l'ancien grognard Claude Noisot demande-t-il à François Rude de sculpter pour son domaine de Fixin un Napoléon s'éveillant à l'immortalité. Les journées de Juillet (1830) sont accueillies avec faveur, comme une consécration sous Louis-Philippe d'un régime libéral et quelque peu anticlérical. Le parti du mouvement progresse ainsi, avec le soutien d'Alphonse de Lamartine, le grand poète bourguignon qui s'engage activement dans la bataille des idées. Si les conservateurs détiennent la plus grande part du pouvoir, l'évolution des esprits liée au développement de l'instruction est de plus en plus sensible. Lamartine joue un rôle actif dans la révolution de 1848 et la IIe République.

Le second Empire

La IIe République coïncide avec une période de dépression économique qui n'aide pas à la conforter. Prince-président, Louis-Napoléon Bonaparte élimine sans difficulté ses opposants, annonce ses intentions lors du fameux discours de Dijon et fait le coup d'État : on entre en 1851 dans le second Empire, jusqu'à la guerre de 1870.

L'expansion est solide, paraît durable. Napoléon III donne un coup de fouet à l'économie par une politique ouverte sur le monde environnant. La Bourgogne vend même des locomotives à l'Angleterre. Ce serait aujourd'hui vendre au Japon de la haute technologie. L'opinion syndicale commence à se manifester et les temps vont changer. Les idées républicaines se développent. Mais d'autres bouleversements s'annoncent, comme l'attraction de plus en plus forte de Paris qui vide

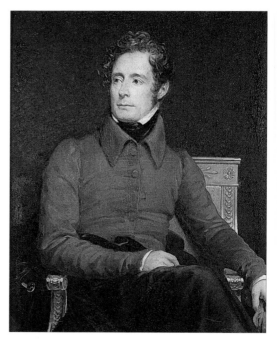

Portrait d'Alphonse de Lamartine peint par François Gérard en 1831. Château de Versailles.
Photo Lauros-Giraudon.

le Morvan, celle de Lyon dans une moindre mesure mais sensible au sud, de l'essoufflement des bassins industriels du nord de la Bourgogne, le remplacement de la voie d'eau par le chemin de fer…

Lointaine héritière du jacobinisme, une tendance d'extrême gauche s'est manifestée lorsque Napoléon III a pris le pouvoir en 1851 (l'insurrection républicaine de Clamecy, durement réprimée). Elle restera vivace en Bourgogne. La guerre franco-allemande de 1870 est ressentie avec émotion : envahissement, présence des républicains organisant la résistance, soutien apporté par Garibaldi et ses « chemises rouges » qui apparaissent déjà comme des brigades internationales. Malgré quelques faiblesses dans la Nièvre, le parti républicain s'implante solidement sous la IIIe République : Paul Bert à Auxerre ; Sadi Carnot, Eugène Spuller et Joseph Magnin en Côte-d'Or.

Dijon grandit, détruit le château et ses anciens bastions, à la fin du XIXᵉ siècle. D.R.

Alors que la Bourgogne entre sans états d'âme dans la France radicale qui va durer longtemps, que de révolutions ! C'est l'apparition de l'électricité, du téléphone ; Gustave Eiffel (né à Dijon en 1832) constructeur de la tour de 300 m qui portera son nom à Paris ; Paul Bert (né à Auxerre en 1833) qui crée la physiologie moderne ; Louis Cailletet (né à Châtillon-sur-Seine en 1832) qui liquéfie le premier l'air atmosphérique et devient le père de l'air liquide ; Bernard Courtois (né à Dijon en 1777) qui découvre l'iode ; Jean-Joseph Fourier (né à Auxerre en 1768) qui invente la physique mathématique ; Hippolyte Fontaine (né à Dijon en 1833) qui démontre le premier qu'on peut transporter l'électricité d'un point à un autre, et Pierre Larousse (né à Toucy en 1817) qui en fait tout un dictionnaire.

L'insurrection de Clamecy

Le pays de Clamecy (les Vaux d'Yonne, entre Nièvre et Yonne) reste farouchement républicain. Le drapeau tricolore couronne l'église de la Ville. Les flotteurs de bois parcourent la rivière du Morvan à Paris. Ils sont au courant des idées nouvelles et les propagent. D'ailleurs Claude Tillier écrit ici *Mon oncle Benjamin*, hymne à la liberté, et plus tard Romain Rolland s'inspire de son pays natal pour chanter *Colas Breugnon*, d'une même veine libertaire.

Le coup d'État de 1851 provoque une violente réaction à Clamecy. Une partie de la population prend les armes. Durant trois jours, les insurgés restent maîtres de la ville. Une sévère répression s'abat : 1 400 condamnations. Outre six à la peine capitale, plusieurs centaines de détenus envoyés en Algérie et en Guyane.

Locomotive Schneider Mikado type 164 (produite à 190 exemplaires pour le réseau des chemins de fer de l'État), 1920. Écomusée de la communauté urbaine Le Creusot-Montceau-les-Mines. Photo Daniel Busseuil.

LE CHARBON ET L'ACIER

L'ensemble minier et industriel du Creusot-Montceau se divise au début du XIXe siècle. La famille Chagot règne un siècle sur le bassin de charbon de Blanzy (30 000 tonnes extraites en 1833, 1 million de tonnes vers 1900), alors que la famille Schneider s'implante au Creusot. Aimée ou haïe, la mine exerce toujours une fascination : luttes sociales comme la « Bande noire », la grève de 1901 qui dure 108 jours, les grandes tragédies (89 morts en 1867 et 21 encore en 1895 au puits Cinq-Sous – la prime de risque des ouvriers – rebaptisé puits Sainte-Eugénie sous le second Empire), immigration italienne puis polonaise... La ville de Montceau-les-Mines est constituée en 1856 seulement, par démembrement des communes voisines.

Capable d'écraser l'écorce d'une noix sans en écraser le fruit, le marteau-pilon du Creusot impressionne vivement les héros du *Tour de France par deux enfants* il y a un siècle. Symbole du génie industriel de la cité, cette machine de 100 tonnes de masse frappante et haute de 21 m (1876-1924) se trouve aujourd'hui sur l'une des

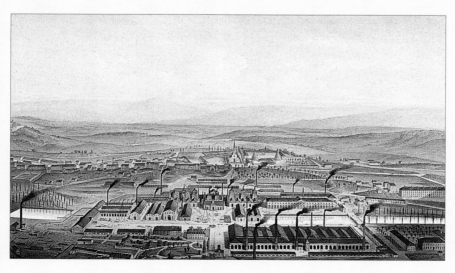

« *Le Creusot, vue prise du nord* », tableau de Trémaux, 1847.
Écomusée de la communauté urbaine Le Creusot-Montceau-les-Mines. Photo Daniel Busseuil.

Le marteau-pilon, *tableau de Joseph Layraud, 1889.* Écomusée de la communauté urbaine Le Creusot-Montceau-les-Mines. Photo Daniel Busseuil.

places de la ville ainsi que sur son blason. Elle permet alors le forgeage d'énormes pièces d'acier. Au Creusot a lieu la première coulée française de fonte au coke (1785). L'ancienne verrerie transférée à Baccarat devient une fonderie de canons. Constructions métallurgiques, ponts, phares, blindages, navires, armements et canons, locomotives, les Schneider font du Creusot la capitale française du fer et de l'acier à partir des années 1840.

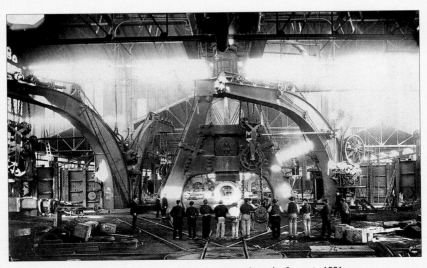

Le marteau-pilon de 100 tonnes : usines du Creusot, *1881.*
Écomusée de la communauté urbaine Le Creusot-Montceau-les-Mines. Photo Daniel Busseuil.

Chronophotographie par Étienne-Jules Marey.
Musée Marey, Beaune.
Photo Hervé Champollion.

Étienne-Jules Marey
(1830-1904).
Musée Marey, Beaune. Photo Hervé Champollion.

La Vallée de l'Image

« Je plaçai l'appareil dans la chambre où je travaille, en face de la volière et les croisées bien ouvertes. Je fis l'expérience d'après le procédé que tu connais, mon cher ami, et je vis sur le papier blanc toute la partie de la volière qui pouvait être aperçue de la fenêtre et une légère image des croisées qui se trouvaient moins éclairées que les objets extérieurs. On distinguait les effets de la lumière dans la représentation de la volière, et jusqu'au châssis de la fenêtre... »

Dans cette lettre à son frère (5 mai 1816), Nicéphore Niepce décrit ce qu'il appelle un essai encore bien imparfait. C'est pourtant l'une des grandes inventions des temps modernes : la photographie. À Saint-Loup-de-Varennes près de Chalon-sur-Saône. Cette « représentation de la nature », il la reproduira pendant dix ans. On en possède une image (vers 1826) conservée à Austin (Texas) et provenant de la collection Gernsheim.

La Bourgogne est la Vallée de l'Image. Entre Dijon et Lyon, on invente successivement la photographie, la reproduction sur papier de la photographie sur plaque de verre (Abel Niepce de Saint-Victor), la chronophotographie (Etienne-Jules Marey) qui conduit au cinéma des frères Lumière.

La première photographie prise vers 1826
par Nicéphore Niepce.
Université d'Austin, États-Unis.

44

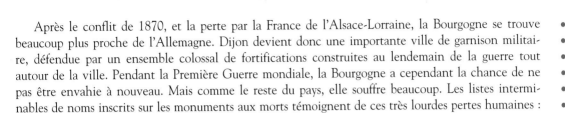

D'UNE GUERRE À L'AUTRE

Après le conflit de 1870, et la perte par la France de l'Alsace-Lorraine, la Bourgogne se trouve beaucoup plus proche de l'Allemagne. Dijon devient donc une importante ville de garnison militaire, défendue par un ensemble colossal de fortifications construites au lendemain de la guerre tout autour de la ville. Pendant la Première Guerre mondiale, la Bourgogne a cependant la chance de ne pas être envahie à nouveau. Mais comme le reste du pays, elle souffre beaucoup. Les listes interminables de noms inscrits sur les monuments aux morts témoignent de ces très lourdes pertes humaines : souvent un homme sur dix tué dans chaque commune.

Moins de Bourguignons

Ces disparitions, l'exode rural vers Paris, les difficultés économiques expliquent le déclin démographique de la Bourgogne. Ayant atteint son maximum de population dans la seconde moitié du XIXe siècle, elle perd ses habitants : 30 % pour la Nièvre de 1880 à 1945, 25 % pour l'Yonne, 20 % pour la Saône-et-Loire et 12 % seulement pour la Côte-d'Or qui bénéficie de la croissance de Dijon.

Les routes nationales (RN5, RN6 et RN7) traversent la Bourgogne de Paris au Midi ou au Sud-Est selon des axes qui restent classiques (la Route blanche par Dijon vers la Suisse, les routes par l'Yonne et par la Nièvre). Le chemin de fer suit le tracé du PLM par Dijon. Les canaux (de la Marne à la Saône, achevé en 1907) apparaissent déjà menacés par les transports routiers et ferroviaires.

L'agriculture vit des jours difficiles, avec une évolution vers l'élevage et la pratique de l'engraissement du bétail charolais. Les prairies naturelles s'étendent. Après la crise du phylloxéra, ce puceron américain qui a détruit le vignoble durant les années 1880, les vins de consommation courante disparaissent pour laisser place à un vignoble de qualité sur un territoire devenu infime (Chablisien, Auxerrois, Côtes de Nuits et de Beaune, Côte chalonnaise et Mâconnais, Pouilly-Fuissé).

Une région industrielle

Le développement de l'acier lorrain provoque une nouvelle révolution industrielle en Bourgogne, bien négociée (Commentry-Fourchambault, Montbard, l'empire Schneider très diversifié qui grandit encore par les usines du Breuil, et Henri-Paul à Montchanin, etc.). Le groupe acquiert des dimensions internationales, et la Bourgogne entre pour une part toujours plus faible dans ses activités globales.

La Bourgogne industrielle, c'est encore la biscuiterie Pernot, les cycles et motos Terrot, les sucreries, les industries du bois, les industries céramiques, le textile, etc., avec une forte crise vers 1930. Beaucoup d'entreprises ferment alors leurs portes. Chalon-sur-Saône s'affirme comme l'un des foyers les plus actifs. Une bourgeoisie économique y développe de nombreuses usines.

Le sentiment politique

Si pendant la Première Guerre mondiale l'opinion est relativement unanime autour du « nationalisme républicain », les divisions se produisent dès les années 1920. Les uns souhaitent le retour à la

Manifestation
ouvrière
du 1er mai 1906
pour la journée
de 8 heures,
à Dijon.
D.R.

Belle Époque, les autres le bouleversement politique et social. De grandes grèves éclatent à Montbard, Chalon-sur-Saône, Montceau-les-Mines, Dijon. Les radicaux se divisent, rejoignant la gauche socialiste qui progresse rapidement ou la droite conservatrice. Le Bloc national est plébiscité en Bourgogne, donnant d'abord à la droite une large majorité. Mais le congrès de Tours annonce le communisme. Alors que les bastions ouvriers du Creusot, Montceau, Nevers-Fourchambault et Imphy restent fidèles au socialisme, l'idéologie nouvelle séduit les campagnes. Nombre de cadres du Parti communiste français viendront de Bourgogne, souvent du milieu rural comme l'ouvrier maraîcher bressan Waldeck Rochet.

Si la droite demeure républicaine, en général à l'écart des positions extrêmes qui agitent l'entre-deux-guerres, elle entreprend alors une reconquête active de l'électorat. C'est l'époque des conférences contradictoires dans les cafés où s'opposent soir après soir les « rouges » et les « blancs ». Le chanoine Kir y fait ses premières armes face aux socialistes. La Bourgogne donne cependant ses faveurs à la gauche, au parti du mouvement. L'Yonne apparaît modérée, radicale et au centre-gauche ; la Nièvre assez conservatrice, avec une présence communiste ; la Saône-et-Loire nettement socialiste ; la Côte-d'Or voit ses bases socialistes et radicales évoluer vers la droite.

« La grève du Creusot » :
tableau de Jules Adler,
1899.
Écomusée de la communauté
urbaine Le Creusot-Montceau-
les-Mines. Photo Daniel Busseuil.

La victoire du Front populaire est très large en Bourgogne. Maire de Dijon, Robert Jardillier devient ministre de Léon Blum. Les socialistes ont le vent en poupe, créent en Bourgogne un journal quotidien. Les communistes aussi, qui atteignent partout 10 % des voix aux élections. Les grèves sont inégalement suivies, surtout sensibles et longues dans les PME. La CGT devient le grand syndicat ouvrier, avec près de 100 000 adhérents bourguignons en 1937 (16 000 seulement en 1935) et désormais sous le contrôle des communistes.

Le réveil bourguignon

Au début des années 1930, on se demande quel miracle va tirer le vignoble bourguignon de la crise, d'une profonde léthargie économique. Et on réagit : un formidable appel d'air, un tumulte d'idées neuves qui deviendront un demi-siècle plus tard la meilleure des rentes de situation. Car la Bourgogne ne baisse pas les bras. Autour de Jacques Copeau, fondateur de la NRF et du Vieux-Colombier à Paris, rénovateur du théâtre, une joyeuse bande de jeunes comédiens établit ses quartiers à Pernand-Vergelesses : les Copiaus (Marie-Hélène et Jean Dasté, etc.). L'écrivain belge Maurice des Ombiaux consacre alors un livre au *Génie bourguignon*. Colette garde son accent bourguignon. Gaston Roupnel chante passionnément la Bourgogne tout en poursuivant l'élaboration de son œuvre de géographe. Gaston Gérard fonde la Foire gastronomique de Dijon et se fait le commis voyageur de la Bourgogne touristique. Maurice Perrin de Puycousin crée à Tournus et à Dijon les deux premiers musées d'arts et traditions populaires. La presse publie des enquêtes sur l'Idée bourguignonne en pleine effervescence.

Le comte Jules Lafon lance en 1932 la Paulée de Meursault et son prix littéraire. Le Mâconnais Georges Rozet va bientôt imaginer les Trois Glorieuses autour de la vente des vins des Hospices de Beaune remise à l'honneur. À Nuits-Saint-Georges, le miracle se produit en 1934 lorsque naît la Confrérie des Chevaliers du Tastevin. L'idée en est simple et géniale, puisqu'elle préfigure l'invention des relations publiques. Personne ne veut acheter nos vins ? Invitons nos amis et buvons ensemble… Sous-entendu : nos amis deviendront ensuite les propagandistes de nos vins. Comme il faut un accueil digne de l'événement, on invente un cérémonial inspiré du « baptême bourguignon » d'autrefois, modernisant de vieux usages. Le succès récompense cette initiative, dont l'essor deviendra universel et sera mille fois copié. Toutes les confréries d'aujourd'hui sont les filles du Tastevin bourguignon.

Artistes et savants bourguignons

« J'appartiens à un pays que j'ai quitté », dit Colette (1873-1954), née à Saint-Sauveur-en-Puisaye mais qui garde un savoureux accent bourguignon. La grande figure des lettres bourguignonnes à cette époque, l'Auxerroise Marie Noël (1883-1968), l'un des poètes majeurs du XXe siècle et Romain Rolland (1866-1944), né à Clamecy, prix Nobel de littérature, auteur de *L'Âme enchantée*, de *Jean-Christophe* et de *Colas Breugnon*.

Cette époque est aussi celle où François Pompon (1855-1933), né à Saulieu, est reconnu comme l'un des maîtres de la sculpture animalière. Celle où Édouard Vuillard (1868-1940), né à Cuiseaux, devient l'un des plus grands peintres de son temps. Celle où André Lallemand (1904-1978), né à Cirey-lès-Nolay, invente la caméra électronique qui révolutionne l'astronomie.

LE VIGNOBLE BOURGUIGNON

Vendanges
à Nuits-Saint-Georges.
Photo Hervé Champollion.

Les caves du château de Meursault. Photo Hervé Champollion.

L'un des gigantesques
pressoirs
du Clos-de-Vougeot.
Photo Hervé Champollion.

Emblème
de la Confrérie
des Chevaliers
du Tastevin
dessiné par Hansi.
D.R.

La fête du roi Chambertin en 1925.
Cette tradition a été remise
à l'honneur à Gevrey-Chambertin. D.R.

Alors qu'un gigantesque exode de population belge, luxembourgeoise, française et bientôt bourguignonne traverse la région en direction de la Loire et du Midi, la progression allemande est fulgurante. Le 15 juin 1940, la Luftwaffe bombarde ponts et gares (Laroche-Migennes, Auxerre, Joigny, Nuits-sous-Ravières, Châtillon-sur-Seine presque entièrement détruit) et l'armée allemande occupe l'Yonne, s'engage en Côte-d'Or par Montbard et par Gray. Le 16, elle atteint Clamecy et la Nièvre. Le 17, elle entre à Nevers et à Autun. Bombardé, Dijon doit se rendre. La ville de 96 000 habitants a perdu en quelques jours les deux tiers de sa population, partis sur les routes de la débâcle. Le 18, presque toute la Saône-et-Loire est envahie. Le 19, les Allemands pénètrent dans Mâcon. Il a suffi aux Allemands de cinq jours pour occuper militairement la Bourgogne.

Les troupes françaises mal ou peu commandées résistent du mieux qu'elles peuvent. Des combats violents ont lieu à Sens, Clamecy, Saulieu, Saint-Seine-l'Abbaye, mais ils ne retardent guère l'avance ennemie. Une femme, Mme Lemaire, abat un sous-officier motocycliste entrant à Cosne-sur-Loire (17 juin). À Clamecy, les Allemands massacrent quarante-trois tirailleurs sénégalais. D'innombrables soldats français sont faits prisonniers et placés dans des camps improvisés. Bien organisé, l'occupant contrôle très rapidement l'administration, les services publics. Une « délégation municipale » composée notamment de Paul Bur et du chanoine Kir s'installe à la mairie de Dijon que l'ancienne équipe a quittée. Qui entend ici l'appel lancé le 18 juin par le général de Gaulle, à Londres ? Peu de Bourguignons.

Sous la croix gammée

Sous le drapeau à croix gammée et dans des conditions très dures, la Bourgogne va vivre occupée plus de quatre ans. Les Allemands pratiquent le pillage économique, réquisitionnent les biens et les denrées. Jusqu'en 1942 qui voit la France entière envahie, une « frontière » (la ligne de démarcation) coupe le pays en deux. Elle passe en Saône-et-Loire, notamment à Chalon-sur-Saône. Louhans, Tournus, Mâcon, Cluny, Charolles ne sont pas occupés dans un premier temps. Cette ligne suit la vallée de l'Allier entre la Nièvre et le Cher. La résistance commence souvent avec des « passeurs » qui aident à franchir clandestinement cette barrière qui disparaîtra en mars 1943.

Les Allemands envoient à la fonte les statues de nos grands hommes. Par bonheur, on a mis à l'abri (Châteauneuf-en-Auxois par exemple) les trésors les plus précieux des musées et des bibliothèques. Les aciers, le charbon partent pour l'Allemagne. Les usines doivent contribuer à l'équipement de l'armée d'occupation. Quelques actes de résistance provoquent l'arrestation d'otages. La terreur s'établit peu à peu, même si les Allemands font quelques efforts de séduction (concerts, expositions, conférences). Himmler et Goebbels n'évoquent-ils pas parfois un « État bourguignon » inféodé au IIIᵉ Reich nazi, faisant renaître la « Grande Bourgogne » d'autrefois mais n'éveillant ici aucun écho ? C'est en Belgique (Léon Degrelle) que ces chimères susciteront un certain militantisme pro-hitlérien.

La régionalisation est un des thèmes politiques du gouvernement de Vichy. Dépendant avant guerre de Dijon (rectorat), Bourges (cour d'appel), Sens (archevêché), Clermont-Ferrand (les mines), Orléans (l'armée), la Nièvre est rattachée en 1941 à Dijon et le restera.

Les Bourguignons pensent aux prisonniers, au ravitaillement difficile, à leur vie quotidienne. Sont-ils dans l'ensemble favorables au maréchal Pétain ? Pour la plupart sans doute jusqu'en 1942. La collaboration avec l'Allemagne présente des aspects très divers, qui, s'ils concernent assez peu de militants dans les mouvements organisés, s'intensifient cependant avec le temps. Les fonctionnaires soupçonnés d'hostilité au régime sont révoqués, internés. Plusieurs journaux se sont « sabordés » au début de l'Occupation (*Le Bien public* et *La Bourgogne républicaine* en Côte-d'Or, *Le Courrier de Saône-et-Loire*, etc.). Ceux qui paraissent (*Le Bourguignon* à Auxerre, *Le Progrès de la Côte-d'Or*, etc.) doivent suivre les consignes de l'autorité allemande.

Dijon accueille de nombreux services de renseignement, de contre-espionnage et de propagande des Allemands. La mise en place des lois raciales imposées à un gouvernement souvent passif et à une administration complice, se développe dès 1941 : Juifs, Gitans, « étrangers » sont victimes de mesures de plus en plus inhumaines. Le nombre des déportés, envoyés en camps de concentration dont beaucoup ne reviendront pas, croît sans cesse : 32 en Saône-et-Loire en 1941, 424 en 1942, 553 en 1943, 779 en 1944. Sur les 174 déportés de la seule ville de Mâcon (101 ne reviendront pas) figure une grande figure de la Résistance, Berthie Albrecht, adjointe d'Henri Frenay, le fondateur du mouvement Combat.

La Résistance

C'est un état d'esprit, un double refus (de la défaite, de la propagande vichyste) qui s'exprime de façons très diverses, d'abord individuellement (graffiti, tracts, sabotages, jusqu'à des attaques armées), puis en groupes. Surtout après l'installation du Service du travail obligatoire (STO) en Allemagne, ce sont des jeunes qui en majorité s'engagent. La Résistance trouve des appuis variés, ici le curé, là le syndicaliste communiste. Les notables ne se rallient pas tous au maréchal Pétain, et ils prennent eux aussi leur part à cet élan collectif. Commis de culture à Charrey-sur-Saône, Paul Frizot est fusillé le 30 août 1940 pour avoir saboté un câble de la Wehrmacht. Cette première victime bourguignonne sera suivie de beaucoup d'autres, connues ou ignorées.

La sinistre Gestapo ne constitue qu'un des nombreux rouages de la répression allemande, aidée par la Milice française et par d'autres mouvements de la Collaboration. L'année 1942 est terrible, avec de multiples exécutions alors que les maquis s'organisent peu à peu. Les normaliens de Dijon (quatre élèves de l'école normale d'instituteurs et un jeune ébéniste) sont fusillés en représailles et à la suite d'attentats à Montceau-les-Mines et Montchanin.

Dans le même temps, la Résistance s'intensifie. Les maquis prennent corps en 1943, avec l'aide des Alliés qui les arment (parachutages dans le Val de Saône dès octobre 1942, arrivée de SAS britanniques dans les maquis). Dans la Nièvre, le maquis Louis War Office comptera jusqu'à 1 901 volontaires, l'effectif le plus important de toute la Bourgogne. Les groupes se structurent, mais la première génération de résistants sera fauchée dès 1942. La relève vient rapidement. Les maquis grossiront beaucoup à partir du 15 août 1944, le nombre des maquisards de Côte-d'Or passant de 700 à 7 000 en l'espace de quelques jours. Le Châtillonnais et le Morvan sont leurs places fortes. Les Francs-Tireurs et Partisans (FTP) proches d'une idéologie de gauche ou d'extrême gauche sont les mieux organisés. Ils s'intègrent pour l'essentiel aux Forces françaises de l'intérieur (FFI). Nommé par le général de Gaulle commissaire de la République pour la Bourgogne et la Franche-Comté, l'ancien député socialiste Jean Bouhey organise à Dijon le premier Comité départemental de libération en zone occupée, dès novembre 1943.

En quittant Dijo
en septembre 194
les Allemand
détruisent la ga.
de chemin de fe
Photo Les Dépêche

L'Occupation :
ici, le palais
de justice de Dijon,
ancien siège
du parlement
de Bourgogne.
Photo H. Breuil.

L'entrevue de Pétain et de Gœring le 1er décembre 19
à Saint-Florentin (Yonne).
Photo Associated Press.

L'entrevue de Saint-Florentin

Le 1er décembre 1941, Saint-Florentin (Yonne) est le cadre de la rencontre du maréchal du Reich Hermann Goering et du maréchal Pétain. Si l'entretien dure plusieurs heures dans le luxueux wagon-restaurant de Goering, il n'aboutit à rien.

L'horreur de la Seconde Guerre mondiale : ces vingt-trois jeunes maquisards de Lantilly (Côte-d'Or)
capturés le 25 mai 1944 par les Allemands vont être interrogés, torturés et aussitôt fusillés
à cet emplacement même. D.R.

Les drames éclatent au printemps et durant l'été 1944, tandis que la pression alliée se fait de plus en plus forte. Les troupes allemandes stationnées ici se composent souvent d'Ukrainiens, Russes blancs et Baltes enrégimentés par les Allemands. Chaque jour, un maquis est attaqué. Des centaines de jeunes gens sont exécutés sommairement. Le village de Manlay (Côte-d'Or) est rasé. À Dun-les-Places (Nièvre), dix-huit otages sont fusillés, dont le maire, l'instituteur et le curé. Pillé, meurtri, Dun-les-Places prend place aux côtés de Comblanchien (Côte-d'Or) avec ses huit fusillés, ses cinquante-deux maisons détruites et son église ravagée parmi les villages martyrs. Très mobiles, certains maquis (Bourgogne, Socrate) sont les plus efficaces. En août 1944, les batailles de Cluny et de Crux-la-Ville constituent un tournant dans la Résistance. Ces combats durent plusieurs jours. Ils s'étendent sur une vaste zone et engagent de larges affrontements. L'échec des Allemands montre que le cours des événements est en train de changer.

Les bombardements alliés provoquent d'importantes souffrances, parfois d'une utilité contestable. Le Creusot est pilonné en 1942 (53 morts, beaucoup de destructions civiles) puis en 1943, Chenôve en 1944 (69 morts, 582 maisons sinistrées) puis Nevers (162 morts, la cathédrale éventrée parmi des dégâts considérables), Laroche-Migennes, etc.

La libération de la Bourgogne

Le maréchal Pétain traverse la Bourgogne sous escorte allemande pour gagner Sigmaringen en Allemagne. Ses étapes : Saulieu, puis Dijon.

En septembre 1944, la Bourgogne occupe une situation stratégique de première importance. Tandis que les troupes allemandes se replient, les forces alliées débarquées le 6 juin en Normandie et le 15 août sur la Côte d'Azur opèrent leur jonction symbolique à Nod-sur-Seine (Châtillonnais) le 11 septembre. La 2e DB (Normandie) rejoint ainsi la 1re armée française (Provence), la 1re DFL obliquant sur Autun et la 1re DB montant sur Dijon. À la tête des FFI de Bourgogne, Claude Monod, qui sera tué au combat en avril 1945, assure l'amalgame de ses hommes et de l'armée qui poursuit sa marche vers l'Alsace et l'Allemagne. Formé avec les maquis de l'Yonne et de la Nièvre, le 1er régiment du Morvan combat en Allemagne et en Autriche jusqu'à l'armistice de 1945.

La libération de la Bourgogne a lieu à Avallon le 19 août par le maquis Verneuil, Auxerre le 24, Mâcon le 4 septembre, Chalon-sur-Saône le 5, Nevers le 9 et Dijon le 11, le plus souvent avec un rôle important des FFI. L'euphorie s'empare des villes et des villages. Les « collabos » sont pourchassés, des femmes sont tondues, alors qu'une nouvelle administration se met en place pour assurer la vie quotidienne et la reconstruction. Le train blindé allemand capturé à Saint-Bérain-sur-Dheune servira au film *La Bataille du rail*.

Le général Henri Giraud s'installe à Dijon après guerre et c'est dans cette ville qu'il rencontrera à nouveau, pour la première fois depuis Alger, le général de Gaulle…

Le chanoine Kir

Comme la Mère La France qui porte dès 1940 une écharpe tricolore et se promène sans cesse dans les rues de Dijon en prédisant la défaite de l'Allemagne (vieille folle, dit-on, mais courageuse et digne), le chanoine Kir (1876-1968) n'incarne pas la Résistance organisée, mais le sentiment patriote tout simple, le refus de l'ennemi. Militant des luttes politiques de droite durant l'entre-deux-guerres, orateur et polémiste passionné, il fait partie des Dijonnais qui reprennent la situation en main en juin 1940. Sans appartenir à aucun mouvement ni réseau, il illustre une forme de résistance qui devient très populaire et lui vaut une attaque de la Milice à son domicile en janvier 1944. Une balle s'écrase dans son portefeuille, sur sa poitrine. Ayant survécu à cet attentat, il trouve refuge en Haute-Marne et revient à Dijon le jour de la Libération. On lui fait un triomphe. Il a 69 ans. Il sera néanmoins député maire de la capitale de la Bourgogne pendant près de vingt-cinq ans.

Nevers, Le Creusot, Châtillon-sur-Seine, de nombreuses autres communes sont en ruine. La gare de Dijon est détruite. Cette reconstruction durera une bonne dizaine d'années, tandis que la liberté retrouvée s'accompagne de nouveaux journaux, de personnalités politiques venues de la Résistance.

La droite s'organise autour du Centre national des indépendants et paysans dirigé par Roger Duchet, maire de Beaune. La démocratie chrétienne ne réussit pas à s'implanter en Bourgogne. Le gaullisme non plus, et il faut attendre 1958 et la Vᵉ République pour le voir devenir une force politique majeure dans la région, tandis que l'UDF prend le relais du CNIP auprès de l'électorat modéré. Important à la Libération, le communisme régresse peu à peu. Le socialisme évolue de la SFIO au PS et, rajeuni, attire à lui un nombre croissant d'électeurs à partir de la fin des années 1970. Divisé, le radicalisme devient marginal. Le Front national exprime dès le début des années 1980 la renaissance d'une extrême droite. Cette époque voit aussi apparaître des mouvements « écologistes ».

À l'exception de quelques raz de marée politiques (1968 et 1993 par exemple), la Bourgogne place la droite et la gauche presque à égalité, avec un léger avantage à la gauche en raison de la situation particulière de la Nièvre (communisme encore puissant, influence de François Mitterrand président de la République de 1981 à 1995). À la fin des années 1970 et de façon temporaire, le PS gagne en effet les Conseils généraux de Côte-d'Or et de Saône-et-Loire ainsi que le Conseil régional de Bourgogne, alors qu'il détient déjà le Conseil général de la Nièvre. Sauf dans ce département, la situa-

Le général de Gaulle visite Dijon en 1959, ici la nouvelle faculté des sciences, première pierre du campus universitaire de Montmuzard. Auprès de lui, le recteur Marcel Bouchard, créateur de ce campus. Photo Le Bien Public.

tion s'inverse ensuite, mais cela montre le relatif équilibre des forces en présence. Les maires des grandes villes demeurent longtemps en fonction (le chanoine Kir à Dijon de 1945 à 1968, Robert Poujade depuis 1971, Jean-Pierre Soisson à Auxerre depuis 1971, Michel-Antoine Rognard à Mâcon depuis 1977, Dominique Perben à Chalon-sur-Saône depuis 1983). Certains deviennent ministres de gouvernements de droite (Jean Chamant, Robert Poujade, Philippe Malaud, Jean-Philippe Lecat, Jean-Pierre Soisson, André Jarrot) ou de gauche (Pierre Joxe, Roland Carraz, Daniel Benoist, Henri Nallet, Jean-Pierre Soisson, André Billardon, Pierre Bérégovoy) sous la Vᵉ République.

Redressement démographique

Le baby-boom de la Libération suscite parmi d'autres causes un net redressement démographique. La Bourgogne compte 1 440 000 habitants en 1962, 1 501 000 en 1968, 1 571 000 en 1975. Sa croissance la portera à 1 609 700 habitants (1990) puis stagnera. La Nièvre (233 300 habitants) continue de perdre sa population, tendance régulière depuis un siècle à l'exception d'une brève reprise dans les années 1950 et 1960. L'Yonne (323 100 habitants) subit une évolution contrastée. Le nord (Sénonais) gagne une population nouvelle liée à l'Ile-de-France, le sud perd ses habitants. La Côte-d'Or (493 900 habitants) a gagné 160 000 habitants, régulièrement, depuis 1945. Elle bénéficie du développement de l'agglomération dijonnaise et de sa jeunesse étudiante. Secouée par la reconversion économique, la Saône-et-Loire (559 441 habitants) reste le département le plus peuplé de la région, mais connaît une perte de population depuis 1982.

Aux alentours de 1960 se produit ici un phénomène unique dans l'histoire. La population rurale qui n'a cessé de diminuer depuis 1850 devient alors moins nombreuse que la population urbaine, et les deux courbes s'écartent de plus en plus. L'immigration (environ 90 000 personnes d'origine étrangère) présente des caractères très évolutifs. D'abord italienne et polonaise dans les mines, elle a changé d'origine : Portugal et Espagne, Turquie, Afrique du Nord, Asie. Elle représente actuellement 5,2 % de la population totale, un peu moins que la moyenne nationale, mais elle est très inégalement répartie selon les villes et les quartiers des villes.

Le mouvement urbain perceptible dès la Libération s'accompagne de grands changements : naissance des zones industrielles et des quartiers d'habitat social (« grands ensembles » comme les Grésilles et la Fontaine d'Ouche à Dijon), campus universitaire, communes dites dortoirs à la périphérie, etc. Le petit commerce rural et de quartier disparaît au profit des « grandes surfaces » (treize hypermarchés en 1982, trente-sept en 1995), suscitant de nouveaux comportements. Les campagnes connaissent souvent l'isolement. Un tiers de la Bourgogne possède une densité de 10 habitants au kilomètre carré (Bourgogne entière : 51, France : 100). La population vieillit.

Les produits de la terre

La Bourgogne verte compte moins de 30 000 exploitations en 1998 (62 500 en 1970), dont la moitié en Saône-et-Loire. Un quart se consacre à l'élevage et à la viande, 20 % aux céréales, 15 % à la culture et à l'élevage. Sur 616 000 emplois dans la région, à peine 50 000 sont liés aux produits de la terre (exception faite des mines et carrières). La diminution constante des effectifs agricoles depuis un demi-siècle est un peu moins sensible en Bourgogne (8 % des emplois) que dans la France entière (6 %). La modernisation et la spécialisation de ces activités sont souvent remarquables. En l'an 2000, il n'y aurait plus que 23 000 exploitations, car le rythme de disparition ne faiblit pas. Sur près de 2 millions d'hectares utilisés, les terres labourables en représentent la moitié. Ces vastes exploitations de plus de 100 ha produisent des céréales (blé tendre, maïs, orge), du colza qui s'est beaucoup développé dans l'Yonne et la Côte-d'Or, du tournesol, des pois (128 000 ha en jachères sur 870 000 ha affectés à toutes ces cultures en 1994). L'activité d'élevage bovins-lait a pratiquement disparu dans la Nièvre, et diminue partout pour atteindre 394 millions de litres de lait en 1994 (15 % de la production française). Le total des bovins s'élève alors à 1 300 000 têtes, orientées principalement vers la viande (animaux maigres produits par des naisseurs qui vendent sur pied un bétail engraissé ailleurs, Italie notamment). Le *Herd-Book* charolais (livre généalogique mondial de la race) a son siège à Nevers-Magny-Cours. L'élevage bourguignon obtient de brillants résultats, notamment à l'exportation, avec ses animaux reproducteurs d'une qualité génétique très appréciée. Les troupeaux caprin et ovin diminuent, mais le mouton charolais connaît une forte progression. Le poulet de Bresse maintient ses traditions de qualité. Les meilleurs chevaux d'obstacles (autres que pur-sang) proviennent d'élevages bourguignons réputés (Cercy-la-Tour notamment).

Si elle occupe 1 % seulement du sol cultivé, la vigne offre une goutte de bon vin dans l'océan des produits de la vigne. Sur 250 bouteilles produites dans le monde, une seule est bourguignonne.

Élevage des bovins charolais.
Photo Hervé Champollion.

Après la crise du phylloxéra (1880), le vignoble a perdu ici les trois quarts de sa superficie en se consacrant aux appellations d'origine contrôlée. Ce vin a su maintenir un éclat universel. Non sans efforts. En vingt-cinq ans, la mise en bouteilles dans la région de production a progressé de 25 à 75 %, donnant au vin (50 % du revenu agricole total en Bourgogne, pour quelque 11 000 domaines de 10 à 15 ha en moyenne) sa valeur ajoutée. De multiples activités (négoce-éleveur, tonnellerie, cartonnages, imprimeries d'étiquettes, transports) doivent au vin de Bourgogne leur prospérité.

Il existe de nombreuses autres productions de la terre : betterave sucrière dans le Val de Saône, où le maraîchage (oignon d'Auxonne) et l'horticulture (chrysanthème de Saint-Marcel) restent importants ; « petits fruits » (cassis, framboise) notamment dans les Hautes-Côtes ; vergers (la cerise Marmotte de l'Auxerrois) ; cornichon de l'Auxerrois également, etc. Beaucoup sont cependant menacées par l'évolution économique et la concurrence étrangère pratiquant des prix très bas auprès des transformateurs de la région. Le houblon (Vingeanne) a disparu.

La forêt couvre en Bourgogne près de 950 000 ha, soit 30 % du territoire (cinquième rang des régions françaises). Pour 85 %, il s'agit de feuillus. Le chêne bourguignon (16 % de la récolte nationale, première région française) bénéficie d'une haute réputation. Les résineux (16 %) de la surface boisée progressent assez sensiblement. Une partie importante de la production est sciée et transformée dans la région, mais insuffisamment encore.

La décentralisation industrielle

Avant de devenir un thème politique, la décentralisation est une réalité économique. Proche de Paris, bien desservie par les voies de communication, disposant d'une main-d'œuvre nombreuse et sérieuse, la Bourgogne bénéficie dans les années 1950 et 1960 d'un double apport extérieur d'activité. Spontané, il résulte de l'arrivée des capitaux étrangers (groupes multinationaux s'implantant en Europe) et du départ d'usines trop à l'étroit en région parisienne.

La Bourgogne reçoit ainsi plusieurs dizaines d'usines (Kodak-Pathé à Chalon-sur-Saône, Simel à Gevrey-Chambertin, Hoover, Sundstrand, New Holland, etc., à Dijon), représentant plus de 25 000 emplois nouveaux. L'aménagement du territoire aura ensuite des effets négatifs sur cette croissance en orientant ailleurs les investissements. Durant la période la plus récente, tout change. Les groupes industriels mondiaux se restructurent (départ de Hoover, 800 emplois perdus). Il en est de même de groupes français (départ des usines Seita de Dijon et de Mâcon). Ces difficultés s'ajoutent à l'effondrement du groupe Schneider (Creusot-Loire) en Saône-et-Loire qui entraîne la disparition de milliers d'emplois.

Coulée de métal liquide à l'usine d'Imphy (Nièvre).
Photo CRT Bourgogne.

Les forces vives de la Bourgogne industrielle ne doivent cependant pas tout à ces apports extérieurs. Les sites de haute technologie maintiennent des activités performantes au plan mondial : Imphy pour les alliages fer-nickel-chrome, Ugine Gueugnon pour l'acier inoxydable, Fiat Iveco à Bourbon-Lancy pour les moteurs, Le Creusot pour les bogies du TGV et le nucléaire civil, Chalon-sur-Saône pour le nucléaire civil également comme Montbard spécialisé dans les tubes, PSA à Dijon pour l'automobile, etc. En 1953, les frères Lescure inventent la Cocotte-Minute qui, vendue à plus de 50 millions d'exemplaires, va révolutionner la condition féminine et les arts ménagers, faisant d'une petite ferblanterie de Selongey (Côte-d'Or) le groupe SEB (Téfal, Calor, Rowenta). À Nevers, la firme Look devient championne de la fixation de ski. À Chailley (Yonne), Gérard Bourgoin crée à partir d'une petite boucherie familiale le second groupe européen de la volaille (La Chaillotine, Duc). Jean Le Lous et Bernard Majoie font du groupe pharmaceutique Fournier dans l'agglomération dijonnaise le numéro un mondial de la lutte anticholestérol et du pansement d'urgence (Urgo). Les bas Dim et Gerbe, les vêtements d'enfants Clayeux, des marques aussi connues que Amora, Banga, Pampryl, Joker, Stypen, Algéco, etc., appartiennent au patrimoine bourguignon.

Les effectifs industriels regroupent 26 % des emplois, contre 21 % en France. L'image de la Bourgogne, peu associée à l'industrie, est donc fausse. Les puits de mine ont fermé au Creusot, puis à Epinac (1966), La Machine (1974), et Blanzy-Montceau (années 1990) pour laisser place sur ce dernier site à une exploitation à ciel ouvert tombée de 1985 à 1990 de quelque 900 000 tonnes à 500 000 seulement. Seule la guerre du Kippour a relancé et prolongé un peu cette activité. Les carrières de pierre (Châtillonnais et Tonnerrois, Côte des vins) gardent une certaine expansion en raison de la qualité du matériau qu'apprécient les architectes. L'industrie du bâtiment est également bien représentée. L'artisanat : 23 200 entreprises, employant 45 000 salariés.

La fabrication des bogies du T.G.V. au Creusot.
Photo CRT Bourgogne.

La Bourgogne contribue pour 2,6 % aux exportations de la France (13e région sur 22 en métropole). Ses échanges se font d'abord avec l'Allemagne, puis l'Italie et le Royaume-Uni.

Cols et chemisiers blancs

Les services publics et privés représentent 59 % des emplois, contre plus de 65 % en France. S'ils ont vu leurs effectifs progresser rapidement, la Bourgogne est cependant moins tertiaire que l'ensemble du pays. Ces 40 000 emplois gagnés durant les années 1980 sont allés pour les deux tiers à des femmes.

Le canal de Bourgogne. Photo CRT Bourgogne.

De 1962 à 1990, le nombre des Bourguignons ayant un emploi est passé de 186 000 à 258 000, alors que 21 000 emplois masculins disparaissaient. Les gains des services n'ont cependant pas pu compenser les pertes de l'agriculture, de l'industrie et du bâtiment. Le chômage qui n'existait pratiquement pas en 1965-1970 dans la région s'est soudain développé au début des années 1980, a diminué entre 1987 et 1990, pour augmenter à nouveau, se stabiliser et régresser à partir de 1994. Il touche en 1995 quelque 80 000 personnes, avec un taux voisin de 9 %.

L'enseignement supérieur concernait 4 000 à 5 000 étudiants en 1965. Trente ans plus tard, plus de 40 000. Construit au début de la Ve République, le campus universitaire de Dijon-Mont-Muzard, œuvre du recteur Marcel Bouchard, avait heureusement été conçu pour de vastes extensions. Après une période de léthargie des constructions au début des années 1980, le Plan Université 2000 et le concours financier du Conseil régional ont permis de relancer les modernisations, tandis que d'autres sites (Le Creusot, Chalon-sur-Saône, Auxerre, Sens, Nevers) accueillent des bâtiments nouveaux. Les grandes écoles se développent : ENSAM (arts et métiers) à Cluny, ESC (commerce et administration des entreprises) à Dijon, ENESAD (3e pôle agronomique français) à Dijon. Le CNRS crée en 1997 dans cette ville l'Institut européen des sciences du goût. Pôle international pour les sciences de la vigne et l'œnologie, l'institut Jules-Guyot prend son envol à Dijon pour l'ensemble des vignobles septentrionaux. Nevers dispose d'un établissement supérieur spécialisé dans l'automobile et le transport.

Le Port terrestre de l'Europe

La Bourgogne accroît considérablement son carrefour de grandes voies de communication, atout indispensable de son développement économique (le Port terrestre de l'Europe). Les entreprises travaillent de plus en plus en flux tendus. Il faut recevoir et livrer en moins d'un jour dans toute l'Europe voisine.

La Bourgogne compte 1 000 km de voies navigables, 15 % de celles du pays. Si la liaison fluviale mer du Nord-Méditerranée est réalisée à ce jour de Fos-sur-Mer à Auxonne (Côte-d'Or) pour des convois poussés de 5 000 tonnes (les péniches du gabarit Freycinet sont de 180 à 200 tonnes), il reste à opérer la jonction avec l'Alsace et le franchissement des seuils. Le projet est relancé en 1995. Avec plus de 550 km d'autoroutes, la Bourgogne est l'une des régions les mieux équipées de France et même d'Europe : à l'autoroute A6 Paris-Lyon (1970) succèdent à un rythme accéléré (plus de 200 km réalisés de 1975 à 1995), A31 Dijon-Beaune (1976), A36 Mulhouse-Beaune (1980), A31 Nancy-Dijon (1989), A40 Mâcon-Genève (1990), A5 Troyes-Langres-Dijon (1994), Dijon-Dole (1995), A39 Dole-Bourg-en-Bresse (1998), Dordives-Cosne-sur-Loire (1999). Des bottes de sept lieues sont vraiment posées sur le sol de la Bourgogne, première région à accueillir le TGV Paris - Sud-Est (1981) et préparant le TGV Dijon-Mulhouse. La gare de triage de Perrigny - Gevrey-Chambertin reste la deuxième en importance dans le pays.

Un tableau n'est jamais complet. L'ancien circuit automobile Jean-Behra de Magny-Cours (Nièvre) devient un gigantesque complexe pour la Formule 1 et accueille le Grand Prix de France reçu naguère par le circuit de Dijon-Prenois. Le Parc naturel régional du Morvan naît en 1970 sur 175 000 ha. La Bourgogne a mille idées en tête. La vie culturelle retrouve un regain de jeunesse avec la renaissance du théâtre et une expression musicale très riche.

LA RÉGION DE BOURGOGNE

Au fil de plusieurs réformes successives, la Bourgogne devient sous la Ve République une Région. Les premiers essais de régionalisation avaient esquissé, dès la Seconde Guerre mondiale et à la Libération, un ensemble réunissant la Bourgogne et la Franche-Comté. Celle-ci souhaita voler de ses propres ailes. La Bourgogne est donc constituée de quatre départements : la Côte-d'Or, la Nièvre, la Saône-et-Loire et l'Yonne.

Rayée de la carte deux siècles plus tôt, sous la Révolution et au nom des idées nouvelles, la Bourgogne avait disparu comme entité politique et administrative. Mais elle continuait d'exister : la Bourgogne possédait une géographie, une histoire, une littérature, un art, un folklore, un vin, une gastronomie… Comme les rivières du Châtillonnais qui se glissent sous terre et jaillissent un peu plus loin en une douix bouillonnante, la Bourgogne attendit son heure. Alors que tant d'autres provinces ont été effacées, elle a retrouvé son identité, sa personnalité.

En 1965 est installée la Commission de développement économique régional (CoDER) de Bourgogne. Cette assemblée préfigure la mise en place, en 1974, de l'Établissement public régional de Bourgogne. Si le préfet de Région en est l'exécutif, le Conseil régional dispose alors d'un budget. Il est constitué de députés, de sénateurs, de représentants des collectivités locales désignées par les Conseils régionaux et de représentants des principales villes. Auprès de cette assemblée politique, le Comité économique et social dont les membres sont désignés représente les activités de la Région, les chambres consulaires, les organisations patronales et syndicales, etc. Son rôle est consultatif.

À partir de 1982, de nouvelles lois de décentralisation donnent une assise plus ferme à la Région. Cette réforme s'applique à l'occasion des élections régionales de 1986. La Région devient une collectivité territoriale. Le Conseil régional est élu au suffrage universel direct. Son président est désormais l'exécutif de l'institution.

Le Conseil régional de Bourgogne dispose de larges compétences : planification régionale (les contrats de Plan conclus avec l'État, le Plan de la Bourgogne voté en 1993), développement économique et aménagement du territoire (notamment pour la mise en œuvre des programmes européens en faveur des zones rurales fragiles et de la conversion industrielle), soutien à l'agriculture, politique culturelle, etc. Il s'y ajoute des compétences déléguées par l'État : lycées, formation professionnelle et apprentissage – ainsi qu'une intervention très active pour l'université, l'enseignement supérieur et la recherche.

2 044 communes

La Bourgogne s'étend sur 31 582 km². Elle est l'une des plus vastes Régions d'Europe, plus grande que la Belgique et figure parmi les vingt premières de l'Union européenne. Elle est aussi l'une des Régions les moins peuplées d'Europe.

Elle compte 2 044 communes (15 ont 10 000 habitants et plus), 174 cantons et 15 arrondissements. Quelque 350 communes ont moins de 100 habitants. Saint-Jean-de-Losne (0,58 km²) a une densité de 2 314 habitants au kilomètre carré, tandis que Villiers-le-Duc, également en Côte-d'Or, dans le Châtillonnais couvre 84,34 km² avec une densité de 1 habitant au kilomètre carré… Ce sont les deux extrêmes. La Côte-d'Or a 707 communes, la Nièvre, 312, la Saône-et-Loire, 574 et l'Yonne, 451.

Si la Bourgogne conserve précieusement son blason, elle utilise de façon plus courante un logotype créé pour le Conseil régional au début des années 1980. Il rappelle les armoiries du duché. Le B de Bourgogne reproduit le B de la signature de saint Bernard.

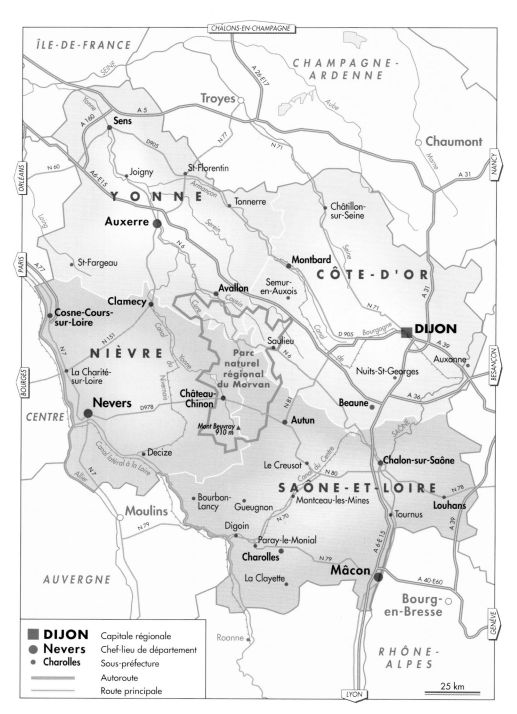

ÎLE-DE-FRANCE

CHAMPAGNE-
ARDENNE

Troyes

Chaumont

SEINE

A 26-E17

Aube

Marne

A 31

NANCY

Sens

A 5

ORLÉANS

N 60

A 6-E15

D905

Joigny

St-Florentin

N 77

N 71

Y O N N E

Tonnerre

Armançon

Châtillon-
sur-Seine

Auxerre

Serein

Seine

N 6

Montbard

CÔTE-D'OR

St-Fargeau

Avallon

Semur-
en-Auxois

Clamecy

Cousin

Cure

N 71

Bourgogne

D 905

DIJON

PARIS

A77

Cosne-Cours-
sur-Loire

Canal

Saulieu

de

A 39

Auxonne

BESANÇON

N 151

N I È V R E

Yonne

du

Parc
naturel
régional
du Morvan

N 6

Nuits-St-Georges

A 31

La Charité-
sur-Loire

Nivernais

Château-
Chinon

BOURGES

N 7

Nevers

D978

Mont Beuvray
910 m

Autun

N 81

Beaune

A 36

SAÔNE

Chalon-sur-Saône

CENTRE

Canal latéral à la Loire

Decize

Le Creusot

Canal du Centre

N 80

Allier

N 7

Bourbon-
Lancy

Gueugnon

Montceau-les-Mines

S A Ô N E - E T - L O I R E

N 78

Louhans

Moulins

N 70

Tournus

A 39

N 79

Digoin

Paray-le-Monial

A 6-E15

AUVERGNE

Charolles

N 79

Mâcon

A 40-E60

La Clayette

Bourg-
en-Bresse

GENÈVE

▪ DIJON	Capitale régionale
● Nevers	Chef-lieu de département
• Charolles	Sous-préfecture
	Autoroute
	Route principale

Roanne

RHÔNE-
ALPES

25 km

L'actuelle région de Bourgogne.

Chronologie

300 000 ans	. . . . Vestiges d'un campement humain près de Sens.
- 80 000 ans	. . . . L'homme de Genay (Auxois).
- 20 000 ans	. . . . Les hommes de Solutré.
- 3 000 ans	. . . . Les hommes du Chasséen
- 575 ans	. . . . La tombe de Vix.
- 120 ans	. . . . Bibracte capitale des Éduens (mont Beuvray).
- 52 ans	. . . . Vercingétorix vaincu par Jules César à Alésia.
- 12 ans	. . . . Fondation d'Augustodunum (Autun), qui remplace Bibracte.
21	. . . . Révolte de Sacrovir.
312	. . . . Panégyrique d'Eumène : la première description économique du pays beaunois et de la Saône.
477	. . . . Les Burgondes s'emparent de Dijon : naissance de leur royaume, la Burgondie.
534	. . . . Le royaume burgonde conquis par les Francs.
841	. . . . Bataille de Fontenoy-en-Puisaye, annonçant le partage de l'empire de Charlemagne.
868	. . . . Fondation de Vézelay.
888	. . . . Richard le Justicier, duc de Bourgogne.
909	. . . . Fondation de Cluny
1032	. . . . Robert Ier, premier duc capétien de Bourgogne.
1098	. . . . Fondation de Cîteaux.
1315	. . . . Charte aux Bourguignons.
1364	. . . . Philippe le Hardi devient duc de Bourgogne à la suite de la mort de Philippe de Rouvres, dernier duc capétien de Bourgogne : les ducs Valois.
1419	. . . . Meurtre de Jean sans Peur. Philippe le Bon lui succède.
1430	. . . . Fondation de l'ordre de la Toison d'or.
1467	. . . . Charles le Téméraire succède à Philippe le Bon.
1477	. . . . Mort de Charles le Téméraire à la bataille de Nancy.
1595	. . . . La Bourgogne se soumet à Henri IV.
1723	. . . . Création de l'université de Dijon.
1789	. . . . Prise du château de Dijon.
1832	. . . . Ouverture du canal de Bourgogne commencé en 1784.
1870	. . . . Garibaldi au secours de la Bourgogne durant la guerre de 1870 : batailles de Dijon.
1934	. . . . Naissance de la Confrérie des Chevaliers du Tastevin.
1941	. . . . Première préfecture régionale à Dijon.
1943	. . . . Création à Dijon du Commissariat régional de la République de Bourgogne et Franche-Comté.
1945	. . . . Jonction à Nod-sur-Seine des armés française débarquées en Normandie et en Provence : la Libération est proche.
1960	. . . . Création de la « Région de programme » de Bourgogne.
1970	. . . . Création du Parc naturel régional du Morvan.
1974	. . . . Mise en place du Conseil régional et du Comité économique et social (devenu Conseil économique et social de Bourgogne).
1986	. . . . La Région de Bourgogne devient une collectivité territoriale : ses conseillers régionaux sont élus au suffrage universel.

Index des noms de personnes

Table des matières

© Éditions Ouest-France - Édilarge SA, Rennes
Cet ouvrage a été imprimé par Pollina S.A. à Luçon (85) - n° 84851
ISBN : 2.7373.2227.8 - Dépôt légal : février 1998 - N° d'éditeur : 3615.03.03.11.01